Guide complet
les r

Diane Alten

Guide complet pour interpréter les rêves

comprendre le présent - connaître le futur

ÉDITIONS DE VECCHI

Traduction de Périne Mordacq

INTRODUCTION

Celui qui a choisi ce livre désire y trouver l'interprétation de toutes sortes de songes, mais par-dessus tout apprendre à déchiffrer les symboles permettant de prévoir l'avenir.

C'est à cette fin que j'ai étudié les théories les plus convaincantes de l'Antiquité. Arthémidor (qui vécut en Grèce 200 ans après J.-C.) a traité, dans les cinq livres qu'il nous a laissés, les interprétations de tous les rêves prémonitoires qui se sont effectivement réalisés. Et c'est de ceux-ci que je me suis inspirée. Lui-même reconnaissait néanmoins que tous les songes ne sont pas prophétiques. En effet, il arrive souvent que dans les rêves afflue quelque élément « non digéré » de notre passé ou de nos « problèmes présents ». Il est, par conséquent, très important de pouvoir en discerner l'origine (si le rêve est produit par un bruit ou par une douleur physique, il ne veut évidemment rien dire sur le présent ou le futur).

Une synthèse entre des théories modernes et des théories anciennes, toutefois éprouvées quant à l'interprétation, m'a permis de réaliser un guide facile à suivre pour toute personne désireuse d'interpréter n'importe quel songe et d'en déchiffrer le message.

Ce livre se propose trois objectifs. Vous aider à :

1. vous souvenir du rêve ;
2. en découvrir la cause ;
3. en déchiffrer la valeur prémonitoire.

C'est sur ce dernier point que je me suis tout particulièrement étendue.

La brève allusion aux songes révélateurs de problèmes psychiques a pour objet d'en déterminer l'origine ou de vous pousser à approfondir ce domaine si passionnant en prenant pour guide les célèbres pères de la psychanalyse.

COMMENT SE SOUVENIR DU RÊVE

Bien souvent, on me dit : « Je ne rêve jamais... », « Je rêve très peu... »

Des recherches approfondies ont prouvé que tout le monde rêve chaque nuit.

Le premier gros problème qui se présente à celui qui désire interpréter ses rêves est le suivant : SE SOUVENIR DU RÊVE.

Voici cinq moyens faciles pour se souvenir du rêve et le rendre apte à l'analyse :

1. **Avant de vous endormir,** répétez avec conviction : « En me réveillant, je me souviendrai de mes rêves... » « en me réveillant, je me souviendrai de mes rêves... »
2. **Le réveil ne doit pas être trop brutal** : avant de vous lever, restez un instant immobile au lit, relaxez-vous et gardez-vous de tout état réceptif.

   Faites un effort mental afin de vous remémorer un seul détail et, petit à petit, les éléments les plus saillants reviendront à votre mémoire et, à la fin, le rêve en entier, puis les émotions ressenties.

   IMPORTANT : efforcez-vous de ne pas y ajouter de détails et une conclusion qui soient le fruit de votre pensée rationnelle.
3. **Transcrivez le rêve.** Tenez toujours à portée de votre main sur votre table de chevet un bloc-notes et un crayon.

   La transcription doit être le plus possible complète. Même les détails apparemment insignifiants ou désagréables sont importants aux fins de l'interprétation.
4. Si vous avez rêvé de **figures géométriques,** d'objets étranges et inconnus pour vous, dessinez-les rapidement. Faire un beau dessin n'a aucune importance, l'essentiel est que vous reportiez approximativement **la forme et la couleur.**
5. En dernier lieu vous devez, avant de vous attaquer à l'analyse proprement dite, vous occuper de **classer ensemble les rêves semblables.** En effet, vous devez réunir les rêves dont le contenu semble identique ou que vous associez instinctivement.

COMMENT DÉTERMINER L'ORIGINE DU RÊVE

Pour interpréter un rêve, il faut aller en rechercher l'origine. Suivez ce schéma et posez-vous les questions suivantes :

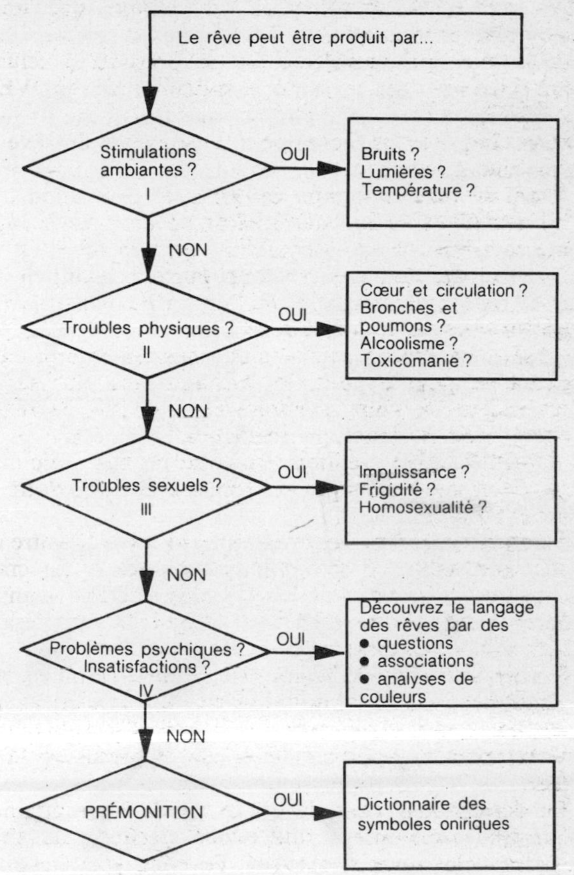

Si vous répondez oui à quelques questions, examinez ci-après le paragraphe correspondant.

I. - Rêves produits par des stimulations ambiantes

Il s'agit de rêves causés par des sensations de chaleur, de froid, des bruits extérieurs, des lumières, et également des douleurs physiques. Ces sensations sont transformées en rêve, au cours du sommeil, bien avant qu'on en prenne conscience dans la réalité.

Par exemple : une personne rêve d'avoir été guillotinée. Elle se réveille et se rend compte que la tête du lit lui est tombée sur le cou... L'interprétation de ce genre de rêve est uniquement la recherche de la stimulation qui l'a provoqué.

II. - Rêves produits par des troubles physiques
(parmi les plus courants)

Cœur et cirulation

Les affections organiques du cœur et des gros vaisseaux sont annoncées à l'avance par des rêves où prédominent l'anxiété, le cauchemar, l'angoisse, la peur de mourir, l'agression sans qu'on puisse trouver de secours...

Si ce genre de rêves se répète souvent, consultez le médecin.

Rêver de tomber brusquement dans le vide peut être dû à une baisse de tension.

Bronches et poumons

Un état pathologique de ces organes entraîne immédiatement en rêve des sensations d'oppression au niveau du thorax, de menace pesant sur sa propre vie et généralement un réveil instantané.

Alcoolisme

Des petits animaux de différentes espèces peuplent les rêves des alcooliques (rats, cafards, araignées, etc.). Ils reflètent la présence d'un lourd complexe de culpabilité, d'une tendance à l'homosexualité et aux actions asociales et amorales durant l'état onirique. On peut aussi découvrir l'alcoolisme dans les rêves indiquant la dépendance envers quelqu'un ou envers quelque chose.

Toxicomanie

L'aiguille de la seringue peut être représentée par un aiguillon de guêpe, d'abeille ou d'un autre insecte, avec, en conséquence, des sensations euphoriques de gratification.

Les toxicomanes, de même que les alcooliques, peuvent rêver d'actions asociales ou de tentatives de suicide mêlées à un sentiment de peur.

III. - Rêves engendrés par des troubles sexuels
(parmi les plus courants)

Impuissance

Les impuissants rêvent souvent que leurs rapports sexuels sont interrompus par une cause extérieure : quelqu'un entrant dans la chambre, sonnant à la porte, etc.

S'ils sont en train de rêver qu'ils voyagent, il y aura une interruption quelconque et ils seront obligés de descendre du train, de l'auto, de l'avion...

S'ils sont en train de rêver qu'ils escaladent une montagne ou qu'ils font un effort physique, ils n'arriveront pas à atteindre leur but. Par conséquent, l'impossibilité de mener à terme une activité physique parce qu'elle est continuellement interrompue est le rêve prédominant des impuissants.

Frigidité

Elle s'exprime en rêve par un sentiment de frustration : ne pas réussir à atteindre ou à posséder quelque chose.

La femme frigide rêvera, par exemple, qu'elle a une tâche difficile à exécuter, qu'elle n'y réussit pas et, par conséquent, qu'elle est angoissée par l'échec. Elle pourra aussi rêver le contraire de la réalité, c'est-à-dire d'être une femme de tempérament passionnel.

Homosexualité

Il y a presque toujours des personnes du sexe opposé à celui du sujet (homme ou femme) dans les rêves des homosexuels. C'est la haine et non l'attirance qui les met en présence. Même des attitudes de sadisme à l'égard des personnes de l'autre sexe peuvent être symbolisées. L'autoanalyse facilite la prise de conscience des problèmes sexuels (voir plus loin : « Questions servant à mettre en lumière le rapport entre le rêve et sa signification »).

IV. - Rêves causés par des problèmes psychiques ou par des insatisfactions

Le rêve peut être une tentative de gratification des désirs inassouvis ou de résolution des conflits internes entre le conscient et l'inconscient. Ce dernier ne s'exprime pas toutefois à travers des symboles directs. Derrière la façade du rêve, qui est la partie manifeste (celle que l'on voit), se cache l'histoire réelle qui est déformée par un mécanisme censorial. Pour la déformer, il la traduit en symboles. Comprendre le langage des rêves signifie comprendre ce qui a été vécu.

La difficulté réside dans le fait de découvrir le langage de ses *propres* rêves qui n'est semblable à celui d'aucun autre : chacun de nous étant un individu unique. Les mêmes rêves faits par des individus se trouvant dans une situation différente ont une signification différente. (Rêver d'être un soldat au combat ne peut avoir le même sens pour un jeune homme sous les drapeaux et pour un paysan).

Vous serez vite en mesure de discerner *votre* langage secret si vous vous exercez patiemment à découvrir la façon dont vous formez les différentes images lors de votre activité onirique, le rapport existant entre chaque image et sa signification, ainsi que le type d'association que vous avez adopté.

QUESTIONS SERVANT À METTRE EN LUMIÈRE LE RAPPORT ENTRE LE RÊVE ET SA SIGNIFICATION

Ces questions engendrent des associations entre les éléments du rêve et les situations survenues ou désirées et mettent ainsi le rapport en évidence.

C'est à travers les associations qu'une partie du contenu de l'inconscient est graduellement transférée dans la sphère consciente et c'est ainsi que la signification cachée du rêve arrive à être éclaircie.

Maintenant, il est important de clarifier la relation entre le conscient et l'inconscient.

Imaginez que votre esprit soit un *iceberg*. La partie émergée représente le conscient (à savoir tout ce dont nous sommes pleinement conscients), la partie immergée l'inconscient (ou sphère de l'activité psychique ne rejoignant pas le seuil de la conscience et par conséquent en dehors de tout contrôle conscient).

Tous les souvenirs pénibles, insupportables ou inutiles tels que les traumatismes infantiles, les problèmes sexuels, les désirs non réalisés, etc., sont refoulés dans l'inconscient. Ces problèmes ne sont pas pour autant résolus, ils sont seulement rejetés. Ils continuent donc à nous tracasser.

C'est à travers le rêve que l'inconscient nous révèle ses problèmes en utilisant un langage symbolique et un mécanisme censorial qui déforme les problèmes fondamentaux et les fait apparaître sous un autre aspect.

Ensuite, lorsque nous interprétons un songe et que nous essayons d'en déchiffrer le symbolisme, nous analysons notre psyché en faisant réémerger les problèmes ensevelis, en en découvrant les causes et en nous libérant de l'angoisse.

Adressez-vous par conséquent les questions suivantes :

QUI ? QUOI ? COMMENT ? OU ? POURQUOI ?

Qui ?

- Qui y avait-il ?
- Étais-je présent, moi aussi, dans le rêve ? Quel rôle avais-je ?
- Y avait-il d'autres personnes ? Les connaissais-je ? Me rappelaient-elles quelqu'un ? Est-ce que je ressemble à l'une d'entre elles ?
- A quoi ressemblaient ces personnes (stature, cheveux, barbe, vêtements) ? Aimerais-je m'identifier à l'une d'entre elles ?
- Ma mère, mon père, ma sœur, mon frère étaient-ils présents dans le rêve ? Y avait-il des personnes défuntes ?

Quoi ?

- De quoi s'agissait-il dans le rêve ?
- A quoi me fait-il penser ?
- Me rappelle-t-il un autre rêve ?
- Est-ce que j'arrive à me souvenir de la trame de l'histoire ? De quelques détails ?

Comment ?

- Comment me sentais-je durant le rêve ? Étais-je heureux, préoccupé, mécontent ?
- Avais-je peur ? Le motif en était-il évident ? Sinon, quelle raison pouvait-il y avoir ?
- Ai-je rêvé de quelque chose que j'ai vu ou dont j'ai entendu parler ces derniers temps ?
- Quelles sensations ai-je éprouvées dans la réalité et maintenant ?
- Ai-je vécu dans la réalité une situation semblable, même si dans la réalité mes sentiments sont tout à fait opposés (en rêve j'avais confiance, dans la réalité je suis dans le doute ; haine... amour ; honte... satisfaction ; etc.) ?

Où ?

- Où me trouvais-je durant le rêve ?
- Ai-je déjà vu cet endroit ? Voudrais-je y aller ? Me plaisait-il ?

• Qu'est-ce qui m'a le plus frappé (couleurs, formes, etc.) ?

Pourquoi ?

Voici maintenant les questions qui vous aideront à découvrir la signification du rêve en résumant le résultat des précédentes :

- Le rêve révèle-t-il un comportement anormal de ma part à l'égard de quelqu'un ?
- Me remémore-t-il un épisode douloureux que j'avais oublié ou que je n'avais pas accepté ?
- Met-il en évidence un sentiment ou un désir que je renie dans la réalité, une décision que je ne veux ou ne sais pas prendre et rejette ?
- Fait-il naître un état d'âme que je ne comprends pas ?

... SI VOUS AVEZ RÊVÉ EN COULEURS...

- Est-ce qu'une couleur vous a particulièrement frappé dans le rêve ?
- Laquelle ?
- Vous plaisait-elle ? Ne vous plaisait-elle pas ?

Lorsque nous choisissons une couleur à l'état conscient, celle-ci reflète notre état psychique et nos exigences physiologiques mais aussi la mode et notre sens de l'esthétique.

Dans le rêve, le choix d'une couleur ne tient compte ni du goût ni de la mode, il ne subit aucune influence, aussi peut-il exprimer plus fidèlement notre état psychique réel.

J'illustrerai maintenant la signification des couleurs les plus courantes apparaissant en rêve : bleu, vert, rouge, jaune, violet, marron, gris, noir.

Note : le signe « + » sert à indiquer que la couleur vous a plu dans le rêve ; le signe « – » qu'elle ne vous a pas plu.

Bleu : il représente le calme, la paix, la profondeur de sentiment, la plénitude, le silence :

+ vous avez besoin de repos, de calme, de tranquillité, de sérénité ;
– votre besoin émotif de repos et de calme a été déçu. Vous vous trouvez dans un état d'agitation, vous désirez sortir d'une situation désagréable ou rompre un lien qui ne vous satisfait pas. Vous recherchez la paix, la tranquillité.

Vert : c'est la couleur de la confiance en soi, de la ténacité, de la fermeté :
+ vous désirez acquérir une plus grande confiance en vous, vous réaliser ; obtenir des conditions de vie meilleures ;
– vous ne trouvez pas la force nécessaire pour surmonter vos difficultés, vous cherchez à fuir la situation présente.

Rouge : c'est la couleur de la force, de la conquête, de l'érotisme :
+ vous désirez vivre intensément sans perdre une seule occasion ;
– vous êtes en train de traverser une période d'épuisement physique ou moral, vous ne supportez pas votre faiblesse qui vous empêche de résoudre vos problèmes.

Jaune : joie, gaieté, spontanéité :
+ vous aspirez à un changement, vous êtes stressé, vous désirez vous en sortir. Vous êtes convaincu d'y réussir ;
– vos espérances de réussite ont été déçues. Vous êtes pessimiste et craintif.

Violet : il représente la sensibilité, le désir d'une union spirituelle, l'attirance vers la magie :
+ vous aspirez à un haut degré d'intimité affective avec une autre personne afin de vaincre votre peur du monde et votre insécurité. Vous manquez de maturité et vous avez souffert à cause d'un déracinement ;
– votre désir d'intimité affective a été déçu et vous semble inassouvissable, aussi êtes-vous devenu méfiant et avare envers autrui lorsqu'il s'agit de donner votre confiance et votre affection.

Marron : sensualité, aspiration au foyer, au repos :

+ le bien-être physique, la tranquillité, un entourage à votre hauteur, choses qui vous sont indispensables, vous sont en ce moment refusés. Vous êtes néanmoins optimiste ;
– vous êtes à la recherche d'un lien profond et durable grâce auquel vous oublierez votre anxiété. Vous désirez vous lier avec une personne qui possède les mêmes nobles idéaux que les vôtres.

Gris : c'est une couleur sans vie qui sépare comme un mur :

+ vous fuyez toute stimulation et responsabilité. Vous recherchez la solitude afin d'essayer de vous régénérer ;
– vous voulez goûter à tout, vous refusez le repos et la tranquillité.

Noir : c'est la négation de toute couleur, le renoncement et l'abandon :

+ vous vous trouvez dans une situation où tout va de travers ; faites attention, vous pourriez prendre des décisions inconsidérées ;
– tout va normalement, vous ne voulez pas renoncer à quoi que ce soit et vous vous sentez maître de la situation et de vous-même.

SONGES PRÉMONITOIRES

« ... les songes,
comme les sibylles,
parlent de futur... »

Byron

ABANDONNER

être abandonné de sa famille : vous gagnerez beaucoup d'argent
être abandonné dans la rue (ou dans une église) : si vous l'avez été par des parents, vous ferez de grands profits ; si vous l'avez été par des amis qui vous sont chers, vous vous sentirez découragé et vous subirez une perte d'argent
abandonner un chien, un chat, un oiseau : des discussions avec la personne aimée vous entraîneront vers une dispute.

ABATTRE

quelqu'un ou quelque chose : la chance vous sourira au bout de nombreuses peines
des arbres fruitiers ou des arbres à fleurs : maladie grave suivie d'une guérison lente.

ABBAYE

près d'un bois : vos chagrins se trouveront récunfortés.

ABBÉ

en train de prier (dans une église demi-sombre) : vous aurez des nouvelles d'un lointain parent oublié
en chaire : quelqu'un veut vous mettre des bâtons dans les roues pour une question d'héritage

en train de bénir : une personne amie vous aidera : votre avenir est assuré
en état d'ébriété : vous devrez faire des sacrifices
à côté d'une sœur : vous serez grandement favorisé par la fortune dans tous les domaines
en habit clair en train de manipuler des filtres et des éprouvettes : votre santé n'est pas très bonne : vous devez suivre une cure de désintoxication.

ABBESSE

la voir : vous vous marierez vite.

ABEILLES

les voir en train de voler : aussi bien pour celui qui vit à la campagne que pour le propriétaire : prédiction de gain et succès dans les affaires
Pour les autres personnes : signifie problèmes, maladies
les tuer : est un signe de chance pour tout le monde, excepté pour les paysans
les capturer : vous aurez des problèmes et des soucis
en être piqué : vous serez trahi par quelqu'un que vous considérez comme un ami.

ABIME

y tomber : danger, grave accident, duperie.

ABOYER

entendre un chien aboyer : vous devez conjurer un danger menaçant
entendre un chien hurler et aboyer : méfiez-vous des flatteurs et des faux amis
entendre aboyer un chien enragé (et en être mordu) : vous aurez des problèmes à résoudre et vous subirez une offense.

ABREUVER

quelque animal : vous devrez surmonter un obstacle.

ABREUVOIR

le voir : richesse, abondance.

ABRI

vous y trouver : vous êtes surchargé de travail et vous aspirez au repos
le chercher et le trouver : chance, avenir assuré
devoir y aller : vous devrez surmonter des moments pénibles et difficiles (problèmes et obstacles).

ABRICOTS

les manger : santé, plaisir momentané mais chagrin d'amour dans un proche avenir.

ACCOUCHÉE

la voir : vous aurez peu d'enfants. Bonheur, plénitude ; une grande joie en perspective.

ACCOUCHER

se voir accoucher : signe de bonheur et d'abondance
Dans le rêve d'un homme : vous réaliserez et mènerez à terme, avec succès, une nouvelle entreprise.

ACCROCHER

un habit : maladie risquant de récidiver
une cage avec des oiseaux : vous êtes inconstant
une horloge : vous êtes avare
un cadre : trahison.

ACCUSER

être accusé par quelqu'un : vous recevrez de mauvaises nouvelles
accuser quelqu'un : vous êtes excessivement sévère dans vos jugements.

ACHETER

quelque chose : vous êtes généreux, mais vous jetez l'argent par les fenêtres

aliments : vous aurez des hôtes agréables
fruits : il se peut que vous perdiez de l'argent.

ACQUÉRIR

de nouveaux objets : chance
des objets déjà possédés : vous subirez de grandes pertes.

ACTEURS

les voir : vous engagerez une grosse dépense, attention aux amis superficiels.

ADMIRER

quelqu'un ou quelque chose : votre entourage est vide et sot.

ADOLESCENT

retourner à l'âge de l'adolescence : vous aurez de grandes satisfactions dans votre vie affective
le voir vêtu de blanc : vous serez favorisé dans votre travail
l'embrasser et le serrer dans ses bras : en vieillissant, vous conserverez votre enthousiasme et votre fraîcheur juvéniles.

ADRESSE

la lire : vous recevrez de bonnes nouvelles.

ADULTÈRE

le commettre : de fâcheux soucis ne tarderont pas à vous affliger. Il arrivera un accident à quelqu'un de votre connaissance.

AGATE

la posséder : vous avez des affaires en suspens
la porter : vous serez avantagé dans vos affaires.

AGENOUILLER

Dans la vie, vous vous laissez dominer et c'est votre partenaire qui est le premier à en profiter.

AGENT DE POLICE

le voir en service : vous aurez beaucoup de chance au jeu, gain à la loterie.

AGIR

se voir en pleine activité : un futur prospère s'annonce pour vous.

AGNEAU

le tenir dans ses bras et le caresser : vous travaillez intensément et votre situation économique va s'améliorer
le voir au pâturage : vos enfants vous donneront des satisfactions
en trouver un égaré : votre mariage est heureux.

AIDE

la demander : vous aurez de la chance et vous ferez du bien à quelqu'un
l'offrir : quelqu'un de votre entourage profite outre mesure de la situation.

AÏEUX

(Voir **Ancêtres.**)

AIGLE

le voir : maladie qui sera vite et heureusement guérie
le voir voler : un projet que vous formez depuis longtemps se réalisera. Ne délaissez pas pour autant les questions de moindre importance mais plus urgentes !
immobile au-dessus de votre tête : présage de mort
vous transportant : grave danger
menaçant de vous attaquer : un homme puissant vous menace

domestique : vous aurez de la chance
en voir un mort : si vous vous trouvez dans une situation subalterne la chance vous favorisera, dans le cas contraire attendez-vous à un grave danger, des obstacles et des empêchements
en voir beaucoup dans le ciel : votre patrimoine augmentera de façon inattendue.

AIGUILLES

qui piquent : on vous portera préjudice et on vous créera des ennuis.

AIL

le manger : vous vous disputerez avec des connaissances
le cueillir ou l'acheter : vous aurez des discussions avec des parents au sujet d'un héritage.

AILES

les posséder et voler : vos affaires vont très bien
mécaniques : vous aurez une longue maladie.

AIMANT

le voir : les gens sont fascinés par votre vive personnalité, vous tomberez amoureux.

ALCOOL

en boire : méfiez-vous car vous êtes entouré de personnes déloyales.

ALIÉNÉ

l'être : vous porterez à terme une activité commencée depuis longtemps (chance)
le voir : vous êtes angoissé par des problèmes d'ordre sentimental
se disputer avec : chance, aisance.

ALLAITER

C'est un songe qui prédit la chance : mariage pour le céli-

bataire, enfants pour celui qui n'en a pas, richesses pour celui qui travaille
sucer le lait de sa mère : si vous êtes enceinte, vous accoucherez d'une fille
si vous n'êtes plus de la prime jeunesse : les richesses iront à celui qui est dénué de tout bien et les pertes d'argent à celui qui vit dans le confort.

ALLIANCE

la voir : vous êtes fidèle en amour
la porter : votre mariage sera heureux
la recevoir : quelqu'un vous aimant profondément désire vous épouser
la perdre : vous vous disputerez et vous vous séparerez, pour peu de temps cependant.

ALLUMER

le feu : heureux présage aussi bien pour le travail que pour la vie amoureuse
la lumière : vous recevrez une bonne nouvelle
une bougie : gaieté.

ALLUMETTES

les voir : vous aurez une agréable suprise, votre patrimoine s'accroîtra
les éteindre : une situation désagréable et douloureuse vous attend.

ALOUETTE

qui chante : vous recevrez de bonnes nouvelles et vous serez favorisé en amour
la capturer : un lien affectif très solide est sur le point de se rompre
la manger : vous serez responsable d'une disgrâce qui vous arrivera.

AMANDES

les manger : amour et mariage
voir un amandier en fleur : réalisation d'un désir.

AMANT

si vous êtes marié(e) et rêvez d'avoir des rapports avec votre amant(e) : vous êtes insatisfait et avez une attitude hostile à l'égard de votre famille
si vous n'êtes pas marié(e) et rêvez d'avoir des rapports avec votre amant(e) : votre vie affective s'améliorera.

AMBULANCE

la voir : vous perdrez une personne qui vous est chère.

AMENDE

être condamné à une amende : maladie ; compte en suspens.

AMER

manger ou boire quelque chose d'amer : vous jouissez d'une excellente santé.

AMÉTHYSTE

la voir : vous serez maltraité.

AMIRAL

lui parler : vous aurez une agréable surprise en famille
le voir : quelqu'un veut vous tromper.

AMIS

en voir un oublié depuis longtemps : vous aurez des difficultés d'ordre financier
qui vous offensent : vous aurez de bonnes nouvelles
que vous offensez : maladie
voir des amis déjà morts : vous recevrez une nouvelle inattendue
trouver un nouvel ami : chance, bonheur
rire avec des amis : litige en vue.

AMOUR

le faire avec son mari ou sa femme : une affaire que vous désirez depuis longtemps conclure se fera

essuyer un refus : malchance dans les affaires
avec une inconnue : chance
avec une prostituée : bonheur
avec une femme/homme marié : chagrins en vue.

AMPHORE

la voir : rivalité amoureuse
cassée : attention à un danger.

AMPUTATION

d'une partie du corps : vous vous libérerez de faux amis
d'une main ou d'un bras : vous vous comporterez avec sagesse dans un moment particulièrement délicat
d'un pied : vous devez encore attendre pour résoudre une question financière
de la tête : pour celui qui occupe une position modeste, la fortune et l'avancement sont en prévision. Pour celui qui détient déjà le pouvoir et la richesse, des pertes d'argent et de gros ennuis sont à craindre.

AMUSER (S')

avec des amis : vous inspirez la sympathie et vous êtes recherché par vos amis ; vous serez invité à une fête.

ANCÊTRES

les voir : croyez à ce qu'ils vous diront.

ANCHOIS

les pêcher : une agréable surprise vous attend
les pêcher et les remettre dans l'eau : richesses toutefois conjuguées à des querelles familiales
les saler : vous mourrez riche et honoré.

ANCRE

la jeter : un projet que vous avez formé se réalisera
la voir : vous ne partirez pas en voyage.

ANE

le chevaucher : bien que lentement, vous atteindrez votre objectif
le voir : problèmes, disputes.

ANGUILLE

la pêcher : santé mais risque de trahison
morte : satisfaction, plénitude spirituelle et affective
la laisser glisser entre les doigts : vous perdrez une bonne occasion
la manger : vous recevrez une bonne nouvelle.

ANIMAL

menaçant : un ami vous fera de la peine et des méchancetés
domestique et qui vous appartient : vous recevrez une visite inattendue de la part de quelques lointains parents. Vous ferez l'acquisition d'une maison
féroce : attention aux ennemis, vous aurez des difficultés dans votre métier
étrange et inconnu : malchance
l'avoir chez soi, lui et ses petits : danger imminent.

ANTIQUITÉS

les trouver : vous découvrirez un trésor ou vous hériterez d'une grosse fortune.

APPELER

une personne : il lui arrivera malheur
soi-même : grave danger.

APPLAUDIR

être applaudi : gardez-vous de faux amis
applaudir : quelqu'un désire vous connaître.

APPUYER (S')

sur quelqu'un ou sur quelque chose : vous devrez recourir à l'aide de quelqu'un pour atteindre le but que vous vous étiez fixé.

AQUARIUM

le voir : vous êtes plein d'amertume et de tristesse.

ARAIGNÉE

en voir une énorme chez soi : vous devrez bientôt subir un procès ou vous vous trouverez au milieu d'un fâcheux litige
la tuer : sécurité et gains considérables
être couvert de toiles d'araignée et d'araignées : un événement favorable et inespéré se produira dans votre travail ; gros gains.

ARBRES

en fleur : bonheur
portant des fruits : vous êtes entouré d'amis
secs, brûlés ou foudroyés : vous tomberez malade, de tristes événements vous attendent
abattus : la chance vous abandonne
y grimper : chance
vous asseoir à la cime : vous atteindrez une position de prestige
vous asseoir en dessous : vous recevrez une bonne nouvelle
qui prennent naissance dans votre corps : maladie et perte de l'organe d'où ils prennent naissance ; mort.

ARC-EN-CIEL

le voir : vous devrez faire face à des changements
courbé vers la droite (par rapport au soleil) : vous aurez beaucoup de chance
courbé vers la gauche : vous devrez affronter des problèmes.

ARCHITECTE

le voir : vous résoudrez une situation désagréable et dangereuse.

ARDEUR

être doté d'un tempérament ardent dans le domaine sexuel : refroidissement sur ce plan-là.

ARGENT

en avoir beaucoup : vous en perdrez énormément, vous devez affronter la vie avec plus de dynamisme
en gagner beaucoup : vous vous trouverez en face de difficultés imprévues mais faciles à résoudre
en trouver : vous aurez de la chance au jeu
en perdre : de bonnes perspectives s'offrent à vous dans les affaires
en prêter : vous vous trouvez dans une situation très embarrassante.

ARGENTERIE, ARGENT

en voir : préoccupations, soucis financiers en vue
en trouver : soyez attentif et prudent dans les affaires
en recevoir en cadeau : vous aiderez un ami
en vendre : les richesses seront à vous.

ARGILE

la pétrir et la modeler : la générosité ne vous fait pas défaut ; vous avez des tendances artistiques.

ARMÉE

en temps de paix : honneurs et richesses vous seront dévolus
en temps de guerre : vous subirez des pertes financières élevées et la honte d'une action commise dans le passé.

ARMES

les voir, les détenir ou s'en servir : vous aurez des problèmes et vous découvrirez la déloyauté de votre famille ou d'amis qui vous sont chers
se servir d'une arme blanche : vous serez tourmenté par des doutes

les rompre : vous serez impuissant contre vos ennemis
se servir d'une arme à feu (et se blesser) : vous aurez des problèmes avec votre famille et vous devrez renoncer à une chose à laquelle vous êtes attaché.

ARMOIRE

la voir : vous découvrirez des intrigues
armoire-penderie et armoire à linge : réussite et fortune en amour
l'acheter : chance dans le domaine financier
vide : luxure.

ARMOIRIES

les voir : vous serez honoré et estimé comme quelqu'un d'important.

AROMES

les sentir et les utiliser : vous atteindrez une position élevée.

ARRÊTER

être arrêté : vous subirez un outrage public
assister à l'arrestation d'une personne : vous souffrez d'un complexe de culpabilité à cause d'une mauvaise action commise depuis longtemps.

ARROSER

un pré : le travail que vous êtes en train d'effectuer actuellement portera bientôt ses fruits
fleurs, plantes, légumes : vous allez bientôt goûter aux joies et aux plaisirs de la vie que vous méritez
quelque chose : votre travail se révélera très fructueux d'ici peu.

ASCENSEUR

le prendre : vous êtes à bout de forces ; vous devez prendre du repos.

ASSASSINER

(Voir **Mort** et **Tuer.**)

ASSIETTES

les voir : vous serez bientôt invité à une fête
les casser : vous devrez surmonter un moment triste et difficile.

ASSIETTE CREUSE

la voir : votre avenir sera toujours assuré
la casser : vous devez être plus prévoyant et moins impulsif, vous pourriez vous trouver dans de graves difficultés financières
pleine : richesse, aisance
la remplir : vos affaires iront en s'améliorant
vide : vous traversez une période difficile.

ASTROLOGUE

aller en voir un : il vous arrivera ce que celui-ci vous aura prédit en rêve
être un astrologue : vous acquerrez de l'expérience et des richesses.

ATHLÈTE

le voir : vos efforts seront récompensés, vous aurez du succès.

ATLAS

le feuilleter : vous ferez un voyage imprévu.

ATTENTAT

y assister : un événement grave changera du tout au tout le cours de votre existence.

AUBE

y assister : vous êtes chanceux, votre avenir sera prospère et vous vous marierez.

AUMONE

la faire : vous serez très heureux
la recevoir : vous prendrez un emploi secondaire.

AUTEL

le voir : vous trouverez bientôt la voie à suivre. Vous vous marierez
le décorer de fleurs : mariage proche
y voir des personnes agenouillées : vous devrez offrir votre aide à quelqu'un qui en a besoin.

AUTOGRAPHE

le lire : persévérance, abondance.

AUTOMNE

le voir : vous recevrez une somme d'argent inespérée.

AUTORITÉ

voir une personne importante : une personne intelligente et puissante vous viendra en aide lors d'un moment délicat.

AVALANCHE

la voir : attention ! un danger vous menace
être emporté : vous êtes l'objet de passions malsaines qui entraîneront votre ruine et celle de votre famille.

AVANT-SCÈNE

se trouver sur une scène : vous recevrez de mauvaises nouvelles. Embêtements
la voir : malchance, tristesse.

AVENTURE

Vous êtes en danger.

AVION

rêver de voler : vous êtes ambitieux et vous deviendrez puissant

piloter un avion et avoir peur : vous êtes inconstant
voir une multitude d'avions dans le ciel : vous avez tendance au commandement
le voir à terre : disgrâce prochaine.

AVOCAT

parler avec un avocat : vous devrez affronter de graves préoccupations d'ordre économique
être un avocat : vous porterez préjudice à quelqu'un.

B

BAGAGES

les voir : vous partirez bientôt en voyage.

BAGUE

la recevoir : vous recevrez une demande en mariage
en porter une très étrange ou en forme de serpent : vos relations sentimentales sont précaires : trahison
la trouver : vous vous disputerez avec quelqu'un
en ivoire : vous guérirez rapidement
cachet monté en bague (sceau) : vous avez un ami fidèle
la casser : dispute avec quelqu'un, suivie d'une rupture.

BAIE

la voir : bon nombre de vos désirs sont encore insatisfaits.

BAIES

les trouver : vous gagnerez de l'argent sans trop vous fatiguer
les chercher : vous devrez surmonter des obstacles
les manger : maladie bénigne, querelle en famille.

BAIGNER (SE)

dans une eau transparente : vous avez beaucoup d'amis et vous êtes loyal

dans une eau trouble : vous avez beaucoup de soucis
dans l'eau courante : il vous arrivera quelque chose de désagréable
dans la baignoire : attention à une maladie
en plein air : vous vous marierez bientôt avec une personne riche et importante
dans l'eau froide : vous souffrirez d'un léger malaise
dans l'eau chaude : vous mènerez une vie aisée
tout habillé : vous ferez un héritage
dans un fleuve : vous aurez la force nécessaire pour résister à l'adversité.

BAIGNEUR

solitaire : vous êtes mécontent et insatisfait
en voir plusieurs : vous allez au-devant d'une période de joie et de gaieté
voir un enfant en train de se baigner : vous aurez un enfant.

BAIGNOIRE

la voir : vérifiez votre état de santé : maladie bénigne
prendre son bain : joie et sérénité.

BAILLON

le porter : vous avez un procès ou une affaire en cours.

BALANCE

être pesé : vous serez jugé par l'opinion publique qui reconnaîtra vos mérites. Vous en tirerez profit.

BALANÇOIRE

vous y balancer : vous avez quelques ennuis avec la loi mais dans l'ensemble vous traversez une période heureuse
la voir immobile : vous aurez une joie de brève durée.

BALAYER

balayer sa maison : vous recevrez de bonnes nouvelles

balayer la rue : le chemin du succès sera pour vous lent et laborieux mais à la fin vous parviendrez au résultat souhaité.

BALCON

le voir fleuri : vous recevrez des honneurs qui ne dureront guère
être au balcon : une entreprise que vous désiriez effectuer sera vouée à l'échec.

BALDAQUIN

l'avoir au-dessus de son lit : vous jouissez de la protection de personnages influents.

BALLE

jouer avec : vous perdez du temps et cela n'arrange pas vos affaires, cela ralentit votre travail ; soyez plus dynamique et plus rapide dans vos décisions
la voir s'envoler : vos désirs relèvent de l'utopie. Ayez les pieds sur terre
boulet de canon : vous avez échappé à un grave danger
montgolfière : votre travail sera couronné de succès même s'il vous faut affronter de nouvelles responsabilités.

BANANE

la manger : vous êtes avide à tout point de vue.

BANC

s'asseoir sur un banc en bois : vos gains seront modestes mais vous préférez la tranquillité
s'asseoir sur un banc de pierre : vous gagnerez beaucoup d'argent, vous manquez de sérénité. Méditez un peu plus
le voir de loin : un amour romantique vous attend.

BANDAGE

se l'appliquer ou le porter : vous devrez renoncer à vos propres désirs.

BANDE

bander un enfant : vous aurez beaucoup d'enfants
appliquer un bandage : vous aurez beaucoup de chance.

BANDIT

être assailli par un bandit : attention à un danger. Vous aurez très peur.

BANQUE

y toucher de l'argent : vous perdrez de l'argent
y déposer de l'argent : vous êtes indécis en ce qui concerne votre travail, vous ne savez pas quelle tactique adopter. Il est possible que vous souffriez de l'estomac.

BANQUET

y prendre part : dispute en famille s'il a lieu chez soi ; autrement il indique une perte de caractère financier.

BAPTÊME

être baptisé : un changement avantageux se produira dans vos affaires.

BARAQUE

la voir : des peines ne tarderont pas à vous affliger.

BARBE

l'avoir touffue : vous serez estimé et honoré
rasée : la tristesse et les peines vous accablent
vue par une femme : un changement marquera votre vie. Si vous êtes mariée vous vous séparerez, si vous êtes célibataire vous vous marierez ; si vous n'avez pas encore d'enfants vous accoucherez d'un garçon
si elle tombe ou est arrachée ou rasée : une disgrâce surviendra. Quelqu'un de votre famille mourra.

BARBIER

le voir : malheur et commérages
se faire raser : on vous dupera.

BARQUE

rêver d'y ramer : vous aurez un travail avantageux
aller sur une barque à moteur : l'aisance et la richesse vous seront acquises.

BARRAGE

le voir : vous devrez surmonter des difficultés
y travailler : vos entreprises seront vouées au succès
le franchir : mort d'un de vos amis.

BARRIÈRE

la voir en face de soi : vous devrez surmonter un bon nombre d'obstacles
la sauter : votre zèle et votre constance vous permettront d'aplanir toutes les difficultés que vous devez affronter
cassée : pertes d'argent.

BATON

le tenir dans la main : la tristesse et les peines seront votre lot. Méfiez-vous de quelqu'un qui fait partie de votre entourage
s'y appuyer : faiblesse, maladie bénigne
battre une personne : vous obtiendrez un avantage
le trouver : un ennemi aura le dessus.

BATTRE

quelque chose avec un objet contondant : vous jouerez de malchance dans les affaires : vous devez agir avec plus de volonté
être battu : vous serez mortifié
la mesure : vous assumerez une fonction dans laquelle vous exercerez le commandement.

BATTRE (SE)

La situation est incertaine et difficile.

BAUME (l'appliquer)

dans le rêve d'un malade : vous guérirez vite

dans le rêve d'une personne en bonne santé : un de vos désirs se réalisera.

BÊCHER

un champ : vous êtes un travailleur infatigable. Votre caractère entreprenant et prompt à la décision vous permettra de satisfaire un de vos plus chers désirs.

BÉGAYER

Vous devrez résoudre une situation en prenant des décisions définitives.

BELETTE

la voir : vous tomberez amoureux d'une prostituée ou d'une femme de mœurs faciles
la capturer : vous aurez des gains faciles.

BÉLIER

Vous vous entêtez et vous restez inébranlable dans vos opinions. Soyez plus souple, vous n'avez pas toujours raison.

BELLE-MÈRE

la voir : vous ferez un voyage
subir une offense de la part de sa belle-mère : vous devrez vaincre des obstacles et l'adversité
la voir aimable et cordiale : vous nourrissez de vaines espérances. Quelqu'un cessera de vous aimer.

BÉNIR

être béni par ses parents : vos affaires sont bonnes et vous serez entouré d'affection par votre famille
être béni par le pape : vous hériterez bientôt
être béni dans une église : la chance vous sourira.

BÉQUILLES

les voir : vous manquez de sérénité. Vous avez besoin de l'appui d'une personne amie

les casser : vous aurez finalement de la chance
marcher en vous aidant de béquilles : votre travail s'améliorera énormément. Profit appréciable et confiance dans le futur.

BERCEAU

le voir tandis qu'il est balancé : vos espérances seront réalisées
Si vous êtes encore célibataire, vous vous marierez. Si vous êtes déjà marié, vous aurez des enfants.

BERGE

(Voir **Rive.**)

BERGER

être berger et conduire le troupeau : de grandes joies familiales vous attendent. Vous bénéficierez de gains petits mais satisfaisants.

BERGERIE

la voir : vous vivrez dans l'aisance.

BÊTES

voir des bêtes féroces : vous êtes entouré de gens envieux et perfides
être menacé par des bêtes féroces : vous courez un grave danger.
(Voir aussi **Animaux.**)

BEURRE

le manger : vous vous disputerez avec un ami
le voir : le succès et une vie aisée vous sont destinés
l'acheter : vous êtes très généreux.

BIBLE

la lire : l'avenir vous réserve des chagrins en famille et des problèmes à résoudre.

BIBLIOTHÈQUE

la voir : vous avez besoin d'être conseillé par une personne compétente
la posséder : vous êtes persévérant et vous rejoindrez le but que vous vous êtes fixé.

BIÈRE

la voir : espérance, vous entrerez en possession d'un héritage
être couché dedans : vous aurez un changement d'activité très agréable
la voir fermée : vous aurez une longue vie
y mettre un cadavre : vous ferez une triste expérience. Quelqu'un de votre connaissance mourra.

BIÈRE

la boire : vous fréquentez des amis dénués de scrupules
la verser : vous trouvez tout le monde antipathique
brune : vous serez largement récompensé pécuniairement
blonde : vous recevrez une lettre.

BIJOUX

les voir : signe de chance, vous recevrez de riches cadeaux mais gardez-vous des flatteurs
les porter : vous êtes tenu en grande estime par la société
en or avec des pierres précieuses : richesses, dons
sans pierres : vous serez trompé
en ambre ou en ivoire : dans le rêve d'une femme, chance ; dans le rêve d'un homme, malchance.

BILLARD

y jouer : vous gagnerez un peu au jeu mais vous perdrez bien davantage ailleurs.

BILLET

le voir : vous gagnerez à la loterie

le lire : vous êtes très curieux
le recevoir : vous recevrez des nouvelles d'une personne qui se trouve au loin
l'écrire : vous ferez un petit voyage.

BISCUITS

les manger : vous êtes optimiste et très gourmand.

BLÉ

voir un champ de blé : la chance vous suivra longtemps
coupé ou récolté : richesse et abondance.

BLESSER

être blessé à une partie du corps : vous aurez des ennuis, des peines et des soucis
voir une plaie ouverte : si elle se ferme aussitôt, les soucis, les dangers et les ennuis ne tarderont pas à disparaître, autrement les désagréments se prolongeront encore un peu
quelqu'un : vous ferez de la peine à quelqu'un
être blessé au cœur ou à la poitrine : vous êtes amoureux ; dans le rêve d'une personne âgée : mélancolie.

BLEUS

se faire des bleus : soyez plus calme, autrement vous vous nuirez.

BŒUFS

les voir attachés à une charrue : chance, influence
en train de labourer ou de travailler : richesse, bien-être
en voir un troupeau : vous serez menacé (médisances)
maigres : famine, pauvreté
gras : chance, richesse
les voir en train de paître : vous avez beaucoup de problèmes ; vous êtes triste.

BOHÉMIENS

devant la porte de chez soi : on abusera de votre confiance
les voir dans la rue : signe de bon augure.

BOIRE

de l'eau limpide et fraîche : santé, vigueur
de l'eau chaude : maladie
du vin : chance, bonheur, amour
de l'huile : maladie
avoir soif et ne pas pouvoir boire : vous vous trouverez au milieu de difficultés financières
dans des vases en or, en argent ou en terre cuite : richesse et aisance vous seront assurées
dans des vases en verre très fragiles : vous aurez d'immenses difficultés à surmonter.

BOIS

se promener dans un bois dense plein de fraîcheur : vous ferez de bonnes affaires et une richesse inattendue vous sera acquise
s'y perdre : vous avez des discussions inutiles
y rencontrer des êtres ou des animaux étranges : vous vous fatiguez en vain.

BOIS

toucher du bois ou transporter des objets en bois : vous réaliserez vos projets grâce à des amis influents
vermoulu : des amis infidèles vous porteront à la ruine.

BOISSON

sucrée, la boire : vous êtes gai et optimiste
amère : vous aurez une maladie bénigne.

BOITE

la voir : vous vous assurerez bientôt un gros profit matériel

l'ouvrir : aventure amoureuse, bonheur
la fermer : vous désirez mettre un frein aux sorties. Vous êtes jaloux et possessif.

BOITER

se voir en train de boiter : des chagrins et des litiges sont prévus
voir quelqu'un : vous vous trouverez dans une situation embarrassante.

BOMBE

la voir éclater : vous serez séparé des personnes et des choses qui vous sont chères. Malchance
pour un militaire, la voir : chance, il montera en grade.

BOSSU

le voir : la fortune vous favorisera à l'improviste et la prospérité entrera dans votrc famille
se voir bossu : la chance vous sourira.

BOTTES

trouées : vous atteindrez finalement une position sociale élevée et stable
avec des talons hauts : votre position sera encore plus élevée
les nettoyer : vous êtes un travailleur infatigable et c'est la raison pour laquelle vous irez loin.

BOUCHE

qui parle : vous dilapiderez votre patrimoine et vos richesses. Votre conduite est trop instinctive, contrôlez-vous
fermée et ne pouvant s'ouvrir : vous courez un très grave danger.

BOUCHER

l'être : vos ennuis finiront
le voir : vous serez offensé et injurié.

BOUCLES

les avoir : vous vivez un amour véritable. Fidélité et joie
les voir : vous recevrez des nouvelles d'une personne que vous avez aimé
les couper : amour exclusif
les perdre : vous romprez avec votre partenaire
les recevoir en cadeau : cela annonce le début d'un amour heureux
les offrir : vous déclarerez votre amour à une autre personne.

BOUCLES D'OREILLES

les voir : vous aurez bientôt des difficultés d'ordre financier
les porter : vous serez mis au courant d'une chose tenue secrète
les casser : vous trahirez la personne aimée (ou vice versa).

BOUCLIER

s'en servir : vous êtes timoré et renfermé et cela vous causera des chagrins ; solitude
le voir : vous êtes à l'abri des commérages et des difficultés.

BOUE

y marcher : vous devez faire face à de graves ennuis ; vous avez été irrité par des ragots qu'on a fait sur vous
y tomber : attention à un danger.

BOUGIE

avec une petite flamme mais claire : vous serez finalement récompensé de votre travail honnête
avec une grande flamme fumeuse : vous tomberez malade. Vous vous surestimez et vous désirez trop être le point de mire
l'éteindre : quelqu'un mourra.

BOUILLIR

voir quelque chose bouillir : un événement imprévu changera le cours de votre vie.

BOUILLON

le boire : vous conclurez des affaires avantageuses. Si vous êtes lié sentimentalement à quelqu'un, vous ne tarderez pas à l'épouser.

BOULEAUX

les voir : vous serez puni pour une action que vous avez commise depuis longtemps.

BOURREAU

le voir : misère et affliction.

BOUSSOLE

marcher en s'en servant : vous devez demander conseil à une personne experte (avocat, ami fidèle, personne âgée).

BOUTEILLE

la casser : un parent riche mourra
entière : vous êtes insatisfait
la voir cassée : deuil et gros héritage
la remplir : vous trouverez un travail intéressant au point de vue financier.

BOUTON

le coudre : vous avez des ennuis passagers avec des amis
le voir : vous avez de mauvaises fréquentations.

BOUTONS

de fleurs : un nouvel amour est sur le point de naître
de roses : vous aurez beaucoup de chance dans le domaine affectif.

BOYAUX

les voir : de désagréables expériences vous attendent.

BRACELET

le porter : union sentimentale. Si vous n'êtes pas encore marié, les noces sont proches.

BRANCARD

y être transporté : faiblesse ; attention aux accidents.

BRANCHES

sèches : vous serez victime d'une disgrâce
vertes : nouvel amour. Bonheur et plénitude spirituelle. C'est un présage de force et de puissance.

BRIDE

mettre la bride au cheval : vous vaincrez la malignité de vos ennemis.

BROCANTEUR

le voir ou l'être : d'excellentes affaires s'annoncent. Vous atteindrez une position sociale élevée.

BROCHE (à la)

la voir, en être piqué ou blessé : une personne déloyale veut vous tromper.

BROCHE

se l'épingler : on vous chargera d'une fonction très avantageuse
se la voir épingler : quelqu'un vous blessera dans votre amour propre.

BRODER

quelque chose : de petites choses inutiles seront source de satisfaction pour vous. Soyez plus sérieux et honnête dans votre travail

porter des vêtements brodés : fortune conquise par des expédients de toute sorte. Vous êtes trop ambitieux.

BROSSER

des vêtements : vous ressentez une grande tristesse. Vous avez rompu avec la personne aimée. L'insatisfaction et le mécontentement qui caractérisent votre comportement sont à l'origine de cette rupture. Vous vous êtes désintéressé de votre partenaire.

BROUILLARD

vous y perdre : vous manquez de confiance en vous et vous vous sentez sans défense
Vous êtes triste et angoissé
Vous aurez du mal à résoudre un problème
le voir se dissiper : la situation s'améliorera
le voir arriver : vous vous occupez des affaires des autres. Vous trempez dans des affaires louches et illégales.

BRULER

voir brûler quelque chose : ardeur, bonheur, gaieté
voir brûler quelqu'un : des affaires dangereuses et embrouillées vous feront vivre dans l'inquiétude
être brûlé : amour ardent ; ne soyez pas trop impulsif ou vous risqueriez de le regretter amèrement.

BUCHER

le voir : vous êtes effronté, c'est pourquoi vous êtes mal vu de tout le monde
se voir sur le bûcher : soyez plus réfléchi car vous pourriez commettre des erreurs que vous regretteriez toute votre vie.

BUFFLE

le voir : vous gagnerez au jeu. A vous les richesses, les gros gains.

BUISSON

le voir : vous vaincrez un obstacle
épineux : vous êtes pessimiste
avec des fruits : vous savez apprécier la vie et vous voyez toujours le bon côté des choses
le contourner : vous cherchez toujours la voie la plus facile pour résoudre un problème
le franchir : vous affrontez les problèmes.

BUREAU

s'y trouver : vous recevrez une mauvaise nouvelle.

C

CABANE

la voir : vous n'atteindrez jamais une position élevée dans le monde des affaires, mais votre vie se déroulera dans le calme et la sérénité
s'y mettre à l'abri : au bout dc nombreuses peines, vous trouverez finalement la paix et la sérénité.

CABLE

le voir : vos affaires ralentiront
le couper : vous porterez prċjudice à quelqu'un
y monter : vous suivez la mauvaise route.

CABRIOLET

être transporté : vous êtes tout près du succès.

CACAO

en manger : vous possédez une âme noble et un caractère agressif.

CACHER

quelque chose : vous êtes une personne avare et déloyale
se cacher : vous vous trouvez dans une situation dangereuse et désagréable et vous ne savez pas comment vous en sortir. Vous devez réagir avec plus d'énergie et de fermeté et ne pas vous abandonner à la mélancolie.

CADAVRE

le voir : vous vous marierez bientôt
le voir avec un air courroucé : vous aurez le dessus sur un de vos ennemis
en décomposition : vous aurez de nombreux obstacles à vaincre
embaumé : vous recevrez de mauvaises nouvelles.

CADEAU

le faire : c'est par l'ingratitude que vous serez remercié de votre aide. Ne précipitez pas les choses
le recevoir : votre situation financière s'améliorera considérablement.

CADRAN

d'une montre : vous êtes paresseux et vous essayez de gagner du temps.

CAFARDS

les voir : contrôlez votre santé, il est possible que vous souffriez d'une grave maladie
les attraper : vous traversez une période heureuse et fortunée
dans son lit : vous serez injustement calomnié.

CAFÉ

en boire : vous trouverez une affection profonde et durable
le voir : quelqu'un dit du mal de vous
le renverser : un fâcheux contretemps surviendra.

CAGE

en être prisonnier : vous devrez affronter de gros obstacles, quelqu'un médit de vous
avec des oiseaux : vous aurez des problèmes familiaux
avec des animaux féroces : vous rendrez un de vos ennemis inoffensif

voir s'en échapper les animaux qui y sont enfermés : vous êtes en danger, quelqu'un vous veut du mal.

CAHIER

le voir : vous subirez des affronts de la part d'amis à cause de votre caractère faible.

CAILLES

en voir : de lointains parents vous annonceront quelque chose
en manger : abondance.

CAISSE

en bois : si elle est pleine et ouverte, vous avez été trahi
ouvrir une caisse pleine : vous deviendrez très riche
ouvrir une caisse vide : vous perdrez de l'argent ; votre avenir ne s'annonce pas rose sur le plan financier.

CALCULER

Vous avez des problèmes d'argent, vous avez dû faire face ces derniers temps à de grosses dépenses et maintenant vous vous trouvez dans un embarras extrême.

CALENDRIER

Vous arriverez très loin même si pendant longtemps les fins de mois sont terriblement difficiles pécuniairement. Si vous faites preuve de ténacité, vous sortirez de cette situation.

CALICE

y boire : dans le rêve d'un malade : la guérison est prochaine ; dans le rêve d'un bien-portant : beaucoup de chance en affaires
le remplir de vin : votre vie sera prospère et heureuse.

CALOMNIER

quelqu'un : soyez plus discret et respectueux même si vous avez été offensé

être calomnié : quelqu'un qui vous hait vous calomniera publiquement.

CALVITIE

Vous perdrez un ami très cher. Héritage.

CAMOMILLE

en boire en infusion : une maladie bénigne.

CAMP

militaire : s'il est vide, un changement surviendra dans votre vie ; s'il s'y trouve des soldats, obstacle, malchance.

CANARD

le voir voler : vous vous réconcilierez avec un ennemi et vous passerez des moments agréables
sauvage : vous vous lierez d'amitié avec des personnes peu recommandables
domestique : vous aurez une amitié durable avec une personne honnête
le prendre : vous arriverez à conclure une affaire importante
le manger : amusements.

CANARI

le voir : vous nouerez de nouveaux liens d'amitié
l'entendre gazouiller : vous êtes entouré de flatteurs.

CANDÉLABRE

le voir : ne vous fiez pas à votre entourage. Comptez seulement sur vous-même et vous atteindrez le but que vous vous êtes fixé.

CANDIDAT

l'être : vous réaliserez ce que vous voulez
le voir : vous êtes arrivé où vous vouliez.

CANNE

la voir dans l'eau : vous êtes un peu indécis ; soyez un peu moins superficiel et prenez vos responsabilités
la voir par terre ou être assis à côté : votre vie sera heureuse et prospère
pliée par le vent : vous vous laissez trop influencer par votre entourage
à pêche : gain d'argent inespéré
à sucre : abondance, bonheur.

CANON

le manipuler : vous serez vivement contrarié dans vos espérances
le voir : soyez vigilant afin d'éviter un danger.

CAPRES

en manger : vous recevrez une mauvaise nouvelle.

CARAVANE

la voir : vous ferez un long voyage avec votre famille. Vous vaincrez des obstacles.

CARDINAL

le voir : si vous n'êtes pas encore marié, vos noces sont proches. Si vous avez déjà un conjoint, de grandes joies familiales s'annoncent.

CARNAVAL

le fêter : vous êtes trop superficiel. Engagez-vous à fond à l'avenir ou la situation empirera.

CAROTTES

d'une vilaine couleur : vous serez contrarié
en manger : vous êtes heureux et optimiste et c'est ainsi que sera votre avenir
en acheter : vous ne pensez pas assez à votre famille. Attention !

les faire cuire après les avoir coupées : vous vous séparerez de votre conjoint et la responsabilité vous incombera en grande part.

CARREFOUR

le voir : vous vous trouvez dans une situation embarrassante et vous ne savez pas quoi faire.

CARTES À JOUER

jouer aux cartes : vous avez engagé des dépenses inutiles. Vous perdrez de l'argent, vous serez dupé. Méfiez-vous des voleurs.

CARTE POSTALE

la recevoir : quelqu'un pense à vous et vous aime.

CATASTROPHE

la vivre : votre vie subira un changement radical. Votre futur est entre vos mains et la voie, bonne ou mauvaise, que vous choisirez dépendra exclusivement de vous. Ne vous laissez ni dépasser ni impressionner par les événements.

CATHÉDRALE

la voir : on vous proposera le mariage. Votre avenir s'annonce prospère et heureux
s'y trouver : des moments difficiles se préparent mais une personne amie vous tendra la main.

CAVALIER

le voir galoper : vous êtes sur le chemin du succès
le voir tomber de cheval : un revers de fortune et de grosses pertes d'argent vous guettent.

CAVE

la voir : danger
y être et ne pouvoir en sortir : vous risquez de tomber malade

y voir quelqu'un : même si on vous hait et qu'on veuille vous mettre des bâtons dans les roues, on n'y réussira pas.

CAVERNE

s'y trouver : une personne amie vous abandonnera
s'y réfugier parce qu'on est poursuivi : vous êtes angoissé. Relaxez-vous car personne ne vous veut de mal.

CÉCITÉ

être aveugle : vous éprouverez une grande douleur.

CEINTURE

la voir, la porter : chance, gaieté
la trouver : vous deviendrez de plus en plus influent
la perdre : vous avez laissé échapper une très bonne occasion
en or ou très précieuse : mariage heureux.

CÉLERI

en manger : faites attention à votre état de santé (maladie bénigne)
en acheter : début d'un nouvel amour ; vous éprouverez une attraction physique pour une personne que vous connaissez depuis peu.

CÉLIBATAIRE

en voir un(e) âgé(e) : vous êtes insatisfait de votre situation affective actuelle
l'être : une grande joie vous attend ; chance en amour

CENDRE

la voir et la recueillir : il y aura un deuil dans votre famille. Gros héritage
marcher dessus : vous êtes avide et sans scrupules.

CERCLE

être enfermé dans un cercle : on vous demandera de l'argent avec beaucoup d'insistance.

CÉRÉALES

en voir une grande quantité : votre avenir s'annonce riche et prospère
en voir une petite quantité : vous avez de très petits moyens.

CERF

le voir : vous aurez une bonne situation
le posséder : disgrâce, trouble
le tuer, le capturer : honneurs et distinctions vous seront décernés
le voir courir : vous arriverez très vite à vivre dans l'aisance.

CERF-VOLANT

le voir s'élever en l'air : votre avenir s'annonce prospère
le voir descendre : vous devrez affronter une situation difficile.

CERISES

en manger : vous serez tout à coup éperdument amoureux. Attention ! il pourrait s'agir d'un feu de paille insensé et dangereux.

CHAINES

être enchaîné : tristesse, souffrance, solitude ; vous n'avez pas encore trouvé l'âme sœur ; vos rapports amoureux ne sont plus pour vous source de satisfaction
rompre les chaînes : vous arriverez à vous libérer d'un lien qui vous pèse et c'est avec une nouvelle force et vigueur que vous avancerez dans la voie du progrès et de la maturité.

CHAISE

la voir : vous avez besoin de repos
s'y asseoir : des vacances agréables vous attendent.

CHAMEAU

le voir : vous devrez effectuer un travail très fatigant et désagréable
en voir beaucoup : vous achèterez des choses de valeur.

CHAMP

le voir : vous êtes plein de force et de vigueur
le cultiver : vous recevrez une demande en mariage. Si vous n'avez pas encore d'enfant, vous en aurez bientôt
inculte : une agréable surprise vous attend
vert : on vous proposera une excellente affaire. Profitez-en !
de bataille : vous vous disputerez avec quelqu'un
cimetière : vous tomberez malade.

CHAMPIGNONS

les voir, les ramasser, les manger : votre carrière sera hérissée de complications et d'ennuis mais à la fin vous serez récompensé ; soyez persévérant.

CHANTEUR

l'être : joies, chance et gaieté vous attendent
qui chante des chansons obscènes : attention à une disgrâce possible
chanter pendant qu'on prend son bain : l'entreprise que vous aviez projetée est vouée à l'échec.

CHANTIER

le voir : ne visez pas trop haut ; recommencez tout depuis le début et progressez doucement.
naval : un de vos projets deviendra irréalisable.

CHAPEAU

le porter : vous ferez un voyage
d'allure militaire : vous avez des problèmes à caractère juridique

le perdre ou en être privé : vous perdrez une occasion importante
l'ôter : vous prenez la vie du bon côté, avec gaieté et optimisme
en voir en grand nombre : vous avez beaucoup d'amis et vous êtes sociable.

CHAPELET

le voir : brève maladie
le réciter : deuil dans la famille.

CHAPELLE

la voir : vous aurez bientôt un(e) ami(e) fidèle.

CHARBONNIER

Vous obtiendrez la réalisation de vos désirs et vous aurez beaucoup de chance.

CHARRETTE

devoir la tirer : vous faites d'immenses efforts et la situation commence à vous peser. Une perte d'argent est possible ; ménagez-vous. Faites attention à votre santé ; cette situation peut vous mener à la dépression nerveuse. Si vous résistez, vous en sortirez vainqueur
y être transporté : vos enfants iront très loin. Les conditions sont défavorables en ce moment pour un voyage.

CHARRUE

s'en servir : vos enfants reviendront de voyage. Si vous êtes séparé ou divorcé, vous reprendrez la vie commune
la voir : ralentissement dans le travail. Les noces et les naissances sont favorisées.

CHASSE

y participer : vous aurez du succès mais auparavant vous devrez vaincre obstacles et calomnies
y être invité : vous aurez de la chance au jeu, mais de la malchance dans les autres domaines

grosse chasse : vous devrez affronter des situations difficiles, mais intéressantes du point de vue économique
instruments de chasse (les voir) : vous retrouverez une personne que vous cherchiez depuis longtemps.

CHASSEUR

l'être : vous êtes trop agressif et vous vous mêlez des affaires des autres. Vous avez de la chance mais ne la défiez pas.

CHAT

en voir un noir : perfidie, trahison masquée par de belles paroles
se battre contre un chat, le griffer, le mordre : faites attention aux voleurs et luttez de toutes vos forces contre eux
le caresser : vous brûlez d'un amour ardent
le voir : vous êtes doté d'un caractère trop agressif ; vous courez un danger
en être mordu ou griffé : un gros problème vous attend
le nourrir : vous tromperez votre conjoint
le tuer : vous vous libérerez d'une personne infidèle et déloyale
l'entendre miauler : quelque chose de désagréable va vous arriver.

CHATAIGNIER

voir l'arbre : vos projets se réaliseront si vous agissez avec rapidité
en manger les fruits : vous serez très heureux et vous aurez de la chance.

CHATEAU

se promener dans les ruines : honneurs et reconnaissances vous attendent. Des envieux vous calomnieront
s'y trouver : vous aurez une aventure inattendue et dangereuse, néanmoins vous en sortirez indemne et satisfait
fermé : il vous faudra vaincre un gros obstacle
le posséder : vous vivrez dans l'aisance.

CHATOUILLEMENT

(Voir **Démangeaison**.)

CHAUSSÉE RÉTRÉCIE

avoir de la peine à la traverser : votre carrière et votre salaire bénéficieront d'une légère amélioration.

CHAUSSETTES

trouées : vous avez des problèmes économiques, soyez plus économe
les voir : vous avez beaucoup de préjugés sur les gens et les choses
les enlever : vous vivrez beaucoup plus serein et heureux une fois libéré d'un tas d'idées préconçues.

CHAUSSURES

en porter une paire usée : une période difficile vous attend dans votre travail, mais vous réussirez à atteindre la position désirée
marcher dans la boue avec des chaussures inadéquates : vous vivrez dans la misère la plus noire pendant quelque temps
les porter trop petites : difficultés économiques. Vous vous êtes comporté d'une manière inconsidérée et infantile dans votre travail et maintenant vous en payez les conséquences.

CHAUVE-SOURIS

la voir voler chez soi : chagrins, tristesse
la voir : ralentissement dans votre activité. Reportez un voyage si vous l'avez programmé
la prendre : vous vous disputerez avec quelqu'un.

CHAUX

la voir : grosses dépenses en vue. Soyez prudent dans une affaire précaire. Il se peut que vous fassiez un petit voyage.

CHEF

voir son chef : vous changerez de situation et, par conséquent, de chef
être le chef : vous aurez beaucoup de problèmes à résoudre
militaire (le voir) : guerre.

CHEMIN DE FER

le voir : avancement dans votre travail
le prendre : hâtez-vous de résoudre une situation en suspens qui ne peut plus durer.

CHEMINÉE

s'il en sort de la fumée : vous laisserez passer une bonne occasion
si le feu y est allumé : on vous fera une proposition de travail très avantageuse
si le feu y est éteint : vous serez bientôt sans travail ; commencez dès maintenant à chercher un autre emploi.

CHEMISE

la voir : vous devez encore résoudre un problème resté en suspens
la mettre : bonheur et chance
la laver : vous perdrez de l'argent
déchirée : un de vos projets se révélera irréalisable
sale : votre conduite est loin d'être irréprochable, vous êtes l'objet de médisances justifiées
de nuit : vous vous marierez bientôt
la confectionner : de grandes joies vous sont réservées dans le domaine amoureux.

CHÊNE

le voir : richesses et longue vie vous sont assurées
sec : vous recevrez de mauvaises nouvelles
l'abattre : vous êtes courageux.

CHERCHER

quelqu'un ou quelque chose : vous n'êtes jamais satisfait de ce que vous avez et vous désirez toujours des choses impossibles à obtenir. Soyez plus réaliste et concret.

CHEVAL

docile et obéissant : vous ferez des profits intéressants, de bonnes ventes et des achats avantageux. Tout va donc pour le mieux
monter un cheval apeuré qui se cabre : préparez-vous à des ennuis dans votre travail
mener un troupeau de chevaux sauvages au pâturage : un dur labeur vous attend mais vous en serez largement récompensé. (Il se peut aussi que vous subissiez un peu trop l'influence des films westerns !)

CHEVEUX

les avoir soignés : votre bonne étoile illuminera votre avenir et vous apportera de la joie
les avoir sales et mal coiffés : ennuis, douleurs, offenses
avoir de la laine à la place des cheveux : longues maladies (peut-être toux)
être chauve : quelque chose de très triste vous arrivera
calvitie partielle derrière la tête : vous aurez une vieillesse pauvre
côté droit dégarni : vous perdrez un parent du sexe masculin
côté gauche dégarni : votre conjoint mourra avant vous
avoir le crâne entièrement rasé : vous serez victime d'une disgrâce
les perdre : il arrivera un malheur dans votre famille.

CHÈVRE

en voir une (blanche ou noire) : un malheur est possible. En voir une blanche signifie néanmoins que le danger est mineur
en voir un grand nombre : abondance et richesse

bouc : vous êtes têtu. S'il est doté de cornes puissantes, méfiez-vous de vos adversaires.

CHEVREUIL

le voir dans un pré : vous passerez de bons moments pleins de gaieté
le tuer : vous n'attribuez aucune valeur à ce que vous avez ; vous agissez avant de penser.

CHIEN

de chasse : signe de bon augure. Vous serez audacieux et aurez de la chance
de garde : votre maison est sûre et protégée. L'harmonie y règne
qui aboie ou mord : attention à un danger ou quelque chose de désagréable peut vous arriver : des pertes d'argent sont possibles
l'attacher ou lui mettre une muselière : quelqu'un veut vous voler
caniche ou bâtard : vous avez un ami en qui vous pouvez avoir confiance et qui vous aidera dans un moment délicat
caresser un chiot : vous assumez de très lourdes responsabilités dans votre vie familiale.

CHIENDENT

le voir : misère, vous tomberez malade.

CHIENNE

la voir : vous avez un(e) ami(e) fidèle qui ne vous abandonnera jamais.

CHIFFONS

les voir, les ramasser : présage d'une immense richesse durement acquise
les acheter : attention aux mauvaises affaires
les laver : vous voulez mettre toutes les chances de votre côté pour réussir une affaire difficile
les jeter : vous êtes un panier percé.

CHOUETTE

la voir : vous serez délivré de vos craintes sans fondement
Si vous avez projeté un voyage, vous serez volé et poursuivi par la malchance
si elle entre chez vous : déménagement. Vous laisserez la maison où vous habitez actuellement.

CICATRICES

en voir sur les autres : vous éprouvez des remords pour la méchanceté ou le manque de sensibilité dont vous avez fait preuve dans le passé
en voir sur soi : vous accueillerez la vieillesse avec sérénité puisque vous êtes mûr et que vous avez surmonté une foule d'obstacles.

CIEL

sombre : ennuis et problèmes vous guettent
clair et limpide : la chance et une période heureuse s'annoncent
étoilé : votre situation actuelle changera radicalement
avec des figures étranges : vous vivez une période très importante.

CIERGE

le voir : vous participerez à un baptême
l'acheter : vous êtes arrivé à résoudre un problème grave.

CIGARES

en fumer : vous êtes sage, votre vie sera longue.

CIGARETTES

en fumer : vous possédez une nature aventureuse. Vous parviendrez à une bonne position sociale
en voir : vous êtes plein de vitalité et vous aimez faire la fête.

CIGOGNE

la voir : si vous désirez faire un voyage, le moment est propice
Si vous n'êtes pas encore marié, vous convolerez bientôt et vous aurez des enfants
les voir en hiver : le temps sera pluvieux et il y aura du vent
les voir en été : le temps sera sec.

CILS

épais et longs : vous serez très heureux
courts ou inexistants : quelque chose de très triste vous arrivera. Larmes.

CIMETIÈRE

s'y trouver : signe de bon augure. Héritage d'un lointain parent
y voir des fantômes : cela annonce la fin des tourments, de la solitude et de la misère ; vous recevrez l'aidc d'unc personne amie.

CIRE

la mélanger : vous formez avec votre partenaire un couple taciturne mais généreux et très tranquille
la faire fondre : vous dilapiderez votre patrimoine.

CITRONS

en manger : l'amour que vous éprouverez engendrera l'amertume
les voir : vous recevrez une bonne nouvelle
les presser : vous serez victime d'un incident pénible.

CLEFS

les voir : si vous voulez vous marier, faites-le, vous serez heureux. En revanche, il vaudrait mieux renvoyer un voyage qui serait voué à l'échec
les perdre : il y aura des problèmes dans votre famille

les trouver : vous vous sortirez avantageusement d'une situation embarrassante.

CLOCHER

le voir ou y pénétrer : la chance vous favorisera
s'y trouver tout en haut : votre position sociale est très enviée. Elle sera la cause d'une querelle avec quelqu'un de votre connaissance.

CLOCHES

les entendre sonner : un événement inattendu vous causera une grande tristesse
si elles sonnent le soir : vous aurez une vieillesse tranquille.

CLOUER

quelque chose : vous aurez beaucoup de dettes
voir quelqu'un en train de clouer : vous serez victime des dettes d'autrui. Perte d'argent.

CLOUS

les voir : vous recevrez une nouvelle inattendue
Un de vos désirs se réalisera
taper dessus : vous avez pris la bonne décision.

CLOWN

le voir : tristesse. Vous aurez beaucoup d'ennuis
l'être : vous souffrez d'un complexe d'infériorité. Ne vous sous-estimez pas et ne vous occupez pas de ce que l'on dit de vous.

COCHON

le voir dans la porcherie : chance
le nourrir : vous êtes prévoyant et économe
le tuer : une période de chance s'ouvre devant vous
sauvage : quelqu'un veut vous nuire.

CŒUR

souffrir : quelqu'un s'est mal comporté avec vous. Trahison
sain : d'importantes affaires qui avaient été interrompues seront reprises
saignant : vous serez mortifié et offensé
le couper : la personne dont vous êtes amoureux vous abandonnera.

COGNÉE

la voir : prédiction de guerres, désordres, révoltes sanglantes
abattre quelque chose à l'aide d'une cognée : vous tirerez joies et profits de votre travail. Vous êtes agressif et passionnel
la tenir dans la main : mauvais présage.

COIFFEUR

le voir : quelqu'un fait des ragots sur vous
le voir raser : vous êtes une personne gaie
le voir couper les cheveux : vous vivez dans l'oisiveté ; vous avez de mauvaises habitudes.

COLÈRE

se mettre en colère : vous arriverez à résoudre une situation embrouillée
voir quelqu'un se mettre en colère : vous avez de mauvaises fréquentations.

COLLECTION

de n'importe quel genre : vous perdez votre temps. Soyez moins léger, sinon il peut vous arriver quelque chose de désagréable.

COLLER

quelque chose : vous présenterez une personne à une autre et cela finira par un mariage.

COLLIER

le porter autour du cou :
de brillants, vous vous faites beaucoup d'illusions ;
de perles, tristesse, mauvaise humeur.

COLOMBE

la voir : des événements heureux en famille, du succès dans les affaires et le début d'un profond amour.

COLONNE

la voir : un personnage très influent vous aidera
écroulée : vous avez perdu un ami de valeur.

COLORER

un dessin ou des étoffes : vous manquez de loyauté. Vous avez un penchant pour le mensonge et les intrigues.

COMBATTRE

corps à corps : vous vous querellerez avec quelqu'un
avec des armes : vous épouserez quelqu'un d'astucieux et d'intelligent
avec des armes en argent : vous serez dominé par une femme riche et autoritaire
à cheval : vous épouserez une femme riche et belle mais sotte et légère
avec deux épées : votre femme sera fascinante mais méchante
avec des animaux féroces : vous tomberez malade
Il se peut que vous perdiez des biens
contre des membres de la famille : malchance ; il vous arrivera un grand malheur
contre un supérieur : vous serez blâmé et traité de façon fort désagréable par celui-ci.

COMÈTE

la voir : troubles, angoisses, ennuis économiques.

COMMÉRAGES

les entendre : changement de maison ou de pays
les faire : vous vous comportez d'une manière déloyale et vous perdrez un ami qui vous est cher.

COMMERCE

rêver d'être un commerçant : vous conclurez de bonnes affaires. Richesse, abondance.

COMMUNION

la faire : malchance, malheur. Mort d'un ami cher.

COMPASSION

l'éprouver pour quelqu'un : une grande joie vous attend.

CONCERT

l'écouter : joie, gaieté
le diriger : vous aurez une bonne position, vous serez estimé et honoré.

CONDAMNER

être condamné : vous sortirez indemne d'une situation dangereuse
condamner quelqu'un : vous êtes sévère et impitoyable.

CONFESSER

se confesser : vous êtes finalement tranquille
confesser quelqu'un : vous serez mis au courant d'une chose secrète.

CONGELER

quelque chose : vous subirez un échec dans un domaine quelconque.

CONGRÈS

y prendre part : vous participerez à une manifestation au cours de laquelle on vous décernera un prix.

CONNAISSANCE

la voir : un de vos désirs secrets sera satisfait.

CONSEILLER

quelqu'un : vous êtes d'un naturel querelleur et autoritaire
être conseillé : vous aurez ce que vous méritez.

CONSTRUIRE

quelque chose : votre carrière sera rapide et brillante
voir construire : vous déménagerez
voir construire de grands édifices : vos projets sont grandioses
voir construire de petites maisons : vos projets sont modestes.

CONTE

le raconter : vous mentez souvent
l'écouter : vous pouvez avoir foi en votre bonne étoile ; un de vos désirs se réalisera.

COPIER

quelque chose : vous nourrissez des craintes sans fondement.

COQ

qui chante : vous serez favorisé d'une manière inattendue dans les affaires
l'attraper : vous vous disputerez.

COQUILLAGES

en voir : de lourdes responsabilités pèseront sur vos épaules
les trouver : vous êtes très embarrassé à cause d'un incident fâcheux.

COQUILLE D'ŒUF

la voir : une de vos connaissances mourra.

CORAIL

le voir : vous éprouverez une grande douleur.

CORBEAUX

les voir : vous serez infidèle
Vous éprouverez déceptions et douleur
les chasser : vous découvririez une escroquerie.

CORBEILLE

de fleurs : joie, gaieté
vide : amour non réciproque
pleine : vous aimez et vous êtes aimé.

CORDE

la voir : vous vous sentez très gêné
longue : vous réaliserez ce que vous avez à faire mais avec un grand retard
cassée : vous serez victime d'une maladie grave.

CORNES

les porter : vous aurez une mort violente
les voir : votre conjoint sera infidèle.

CORTÈGE

le voir : richesses et vie aventureuse
nuptial : sans le vouloir, vous conquerrez quelqu'un.

COTON

le voir : on entravera vos affaires. Vous traversez une mauvaise période. Vous ne réussissez ni à profiter des bons côtés de la vie ni à en avoir une agréable.

COU

mal au cou : vous tomberez malade
être décapité : vous perdrez un enfant ou une personne très chère.

COUDRE

un vêtement quelconque : prospérité
se piquer en cousant : quelqu'un de votre famille va se marier
ne pas terminer un travail commencé : si vous êtes marié, dispute.

COULEURS

Voir le chapitre relatif aux couleurs.

COULOIR

long et sombre : vous avez beaucoup de problèmes et vous n'arrivez pas à en trouver la solution.

COUPE

(Voir **Calice.**)

COUPER

des arbres : malchance, chagrins

du gras ou du lard : deuil.

COUPER (SE)

les doigts : deuil familial, gros ennuis.

COUPOLE

la voir : vous aurez beaucoup de chance dans les affaires.

COURBER (SE)

voir quelqu'un courbé : vous aurez le dessus dans une situation difficile
se voir courbé : vous subirez une grosse humiliation.

COURGETTES

en manger : vous êtes avare et opportuniste.

COURIR

se voir : chance, joie, santé. Dans le rêve d'un malade : mort.

COURONNE

de fleurs : vous éprouverez une joie sereine
la voir : quelqu'un vous incitera à commettre une action illégale
précieuse : vous recevrez un beau cadeau.

COURONNER

se voir couronné : voir **Idole**
assister à un couronnement : joie éphémère.

COURRIER

le voir : votre situation se stabilisera.

COUSSIN

le voir : vous êtes bavard et inutile. Parlez moins et à bon escient.

COUTEAU

le voir ou s'en servir : attention ! un danger vous menace.

COUVENT

le voir : vous nourrissez dans votre cœur un amour secret
s'y rendre : vous aurez une vieillesse tranquille et sereine.

COUVERTURE

la voir : un de vos désirs est insatisfait.

CRACHER

se voir cracher : le succès vous coûtera beaucoup de peines
sur quelqu'un : vous êtes trop impulsif et autoritaire.

CRANE

le voir : vous conclurez une bonne affaire
brisé : vous aurez de graves préoccupations.

CRAPAUD

le voir : faites attention, vous pourriez courir un grave danger
le tuer : vous aurez le dessus sur un ennemi
le voir chez soi : votre bonheur n'est que passager.

CRAVATE

la voir : vous êtes endetté jusqu'au cou et vous vous trouvez dans une situation fort désagréable
la nouer : vous aurez mal à la gorge
en défaire le nœud : votre mal de gorge guérira.

CRAYON

le voir : vous devrez faire face à de grosses dépenses.

CRÉDIT

en avoir un : vous êtes furieux
si vous êtes harcelé par un créancier : vous arriverez à surmonter une mauvaise passe
le voir : vous êtes en train de commettre une escroquerie.

CRÈME

en boire : vous jouirez d'une excellente santé
la voir : chance inattendue. Héritage.

CRÉNEAUX

d'une tour : s'ils sont réguliers, vous avez le sens de l'esthétique ; s'ils sont irréguliers et peu harmonieux : litige et ennuis.

CREUSER

se voir en train de creuser : vous avez de très bonnes occasions de réussite dans votre travail. Abondance et vie aisée.

CRIER

de façon angoissante : vous recevrez une mauvaise nouvelle
entendre crier : vous serez diffamé
sans émettre de sons : vous avez peur et vous vivez dans l'insécurité ; tranquillisez-vous car vous ne courez aucun danger.

CRIME

rêver de commettre un crime : vous aurez le dessus sur un de vos ennemis
en être la victime : tristesse. Attention ! quelqu'un veut vous duper.

CRISTAL

le voir : vous ferez la connaissance d'une personne droite et honnête
cristaux de glace : vous avez affaire à des personnes superficielles et déloyales.

CROCHET

le voir : des ennuis et des peines vous attendent
l'avoir : vous êtes dénué de scrupules
l'utiliser : vous êtes excessivement violent et possessif.

CROCODILE

le voir : il y a quelqu'un de faux dans votre entourage. Il vous sera fait du mal.

CROISEMENT

s'y trouver : vous réaliserez votre projet même si cela doit être au bout de nombreuses hésitations.

CROISSANT

temps pendant lequel la lune croît : votre amour est en voie de refroidissement

temps pendant lequel la lune décroît : vous êtes de plus en plus amoureux.
(Voir aussi **Lune.**)

CROIX

du mérite : honneurs et reconnaissances vous seront donnés
être crucifié : si vous n'êtes pas marié, vous le serez bientôt mais vous ne serez jamais heureux
la porter : quelqu'un dit du mal de vous
la voir portée : une personne de votre connaissance mourra
dans la rue : vous recevrez une bonne nouvelle.

CROUTE

de pain : vous achèterez une ferme.

CRUCHE

la voir : vous vous fiancerez et vous marierez bientôt.

CRUSTACÉS

les voir : vous serez trompé par une personne en qui vous avez confiance. Tristesse et déception.

CUIR

l'acheter : vous tomberez malade
le couper : vous vous disputerez avec quelqu'un.

CUIRE

viande ou autre chose : vous aurez une longue vie et une bonne santé.

CUISINE

la voir : vous aurez une longue vie
y faire à manger : l'harmonie règne en famille
y aller : quelqu'un fait des ragots sur vous.

CUISINIER

le voir chez soi : si vous désirez vous marier, la chance est de votre côté : votre mariage sera heureux
Dans le rêve d'un malade : la maladie empirera et les souffrances augmenteront.

CULOTTE

(Voir **Slip.**)

CYGNES

les voir : grande tristesse
Dans le rêve d'un malade : guérison rapide
l'entendre chanter : quelqu'un de proche mourra.

CYPRÈS

le voir : vous aurez un deuil dans votre famille
le planter : la constance ne vous manque pas, mais vous agissez avec lenteur.

DAHLIAS

en fleur : une grande joie se prépare pour vous.

DAMES

jouer aux dames : une personne de votre entourage tente de vous nuire et de vous tromper.

DANSER

chez soi, entre amis : chance, joie
voir danser les époux : vous serez gai
danser avec un inconnu : mort d'un de vos parents
si un malade rêve de danser : son état empirera
si un prisonnier rêve de danser : il sera libéré sous peu.

DATE

la lire : il se produira un événement inattendu.

DATTES

les voir : vous aurez de la chance en amour
les manger : vous recevrez un baiser de la personne que vous aimez
voir le dattier : vous ferez un voyage malchanceux.

DAUPHIN

le voir dans la mer : chance et amis fidèles
le voir hors de l'eau : un de vos très chers amis mourra.

DÉBRIS

les voir : vous arriverez à une très bonne situation financière.

DÉCAPITER

être décapité : vous perdrez un proche parent ; peur
décapiter quelqu'un : vous l'emporterez sur un de vos adversaires.

DÉCHARGER

quelque chose : vous aiderez quelqu'un qui se trouve en difficulté financière
voir quelqu'un : vous jouissez d'une très bonne position sociale et économique.

DÉFENDRE (SE)

de quelqu'un : un projet sera abandonné ; ayez conscience de vos limites et de vos possibilités.

DÉFUNT

le voir : chance et joies familiales ; un de vos projets se réalisera
s'il se montre triste et fait du bruit : vous vous êtes mal conduit avec quelqu'un et maintenant vous en supportez les conséquences.

DÉJEUNER

seul : vous devrez lutter pendant longtemps pour former la famille à laquelle vous aspirez
en compagnie : richesses, gaieté, amitiés
donner un déjeuner : quelqu'un vous couvre de louanges et de flatteries. Méfiez-vous des personnes hypocrites

à la campagne : vous serez mêlé à une querelle ou à une rixe
en ville : vous révélerez un secret.

DÉLUGE

s'y trouver au milieu : vous subirez de grosses pertes
universel : vous risquez de perdre vos biens.

DEMANDER

s'entendre demander quelque chose : vous êtes trop bavard et trop curieux.

DÉMANGEAISON

la sentir : vous recevrez de l'argent qu'on vous devait depuis longtemps.

DENTS

les perdre : Artémidore considère la bouche comme la maison et les dents comme ses habitants. Perdre une dent peut par conséquent signifier perdre un parent mais aussi de l'argent et des objets précieux
perdre les dents du bas : vous perdrez quelqu'un de vil et de superficiel auquel vous n'attachez aucune importance
perdre les dents du haut : une personne influente, intelligente et de grande valeur mourra
perdre les dents du côté droit : un homme ou une personne très âgée mourra
perdre les dents du côté gauche : une femme ou une personne très jeune mourra
si vous avez beaucoup de dettes : perdre des dents signifie que vous rendrez de l'argent à vos créanciers
perdre des dents cariées, gâtées, cassées : vous vous libérerez de problèmes oppressants
avoir des dents en ivoire ou en or : richesse, abondance, chance
avoir des dents en verre, en bois (ou fragiles) : vous mourrez de façon violente
voir repousser les dents qu'on a perdues : si les nouvelles

dents sont mieux que les premières : votre vie s'améliorera ; si les nouvelles dents sont pires que les premières : votre vie empirera
avoir de la viande ou des épines entre les dents : vous devrez affronter des obstacles et vous aurez des soucis
se nettoyer les dents : vous éviterez les obstacles qui se présenteront
avoir des fausses dents : quelqu'un veut vous duper
se faire arracher des dents : vous voulez cesser vos relations avec quelqu'un.

DÉNUDER

quelqu'un : vous ne respectez pas les sentiments d'autrui
se dénuder : vous avez des parents envieux et perfides
Vous êtes très exhibitionniste mais en même temps timide.

DÉRAILLER

un train : une aventure désagréable s'annonce. Attention, un danger vous menace.

DÉS

y jouer : actuellement vous n'avez pas d'argent mais si vous avez envie de jouer, c'est le moment
les voir : dommage, malheur. Si c'est un malade qui les voit, son état empirera.

DESCENDRE

de cheval : votre position sociale subira un changement. Perte de prestige et d'autorité
d'une voiture : vous atteindrez bientôt le but que vous vous êtes fixé
d'une montagne : vous réussirez à aplanir et à résoudre vos difficultés.

DÉSERT

s'y trouver : obstacles, pertes et malchance dans les affaires

y voyager pour son plaisir : vous êtes généreux et vous avez de nobles sentiments. Vous pouvez compter sur votre chance dans le domaine affectif.

DÉSHABILLER (SE)

en avoir honte : vous unissez le manque de confiance en vous à l'exhibitionnisme
se voir : vous éprouverez une joie inattendue
voir quelqu'un : attention aux voleurs.

DÉSHÉRITER

être déshérité : une personne que vous n'aimez pas mourra.

DÉSIRER

quelque chose : vous êtes insatisfait et insatiable
et être exaucé : vous trouverez un ami fidèle. Chance.

DÉSORDRE

le voir : vous serez la cause de problèmes en famille
le faire : la pureté et la loyauté ne vous caractérisent pas.

DESSINER

quelque chose : vous passerez à l'exécution d'un projet. La chance vous sourit
voir un dessin : vous ferez une agréable expérience
recevoir un dessin : quelqu'un désire vous épouser.

DÉTRUIRE

rageusement quelque chose : une dispute avec l'objet de votre amour vous a rendu malheureux.

DETTES

les faire : vous vous montrez excessivement prodigue
les payer : vous vous sentez prisonnier de quelque chose dont vous voulez vous libérer. Soucis

Si un malade rêve d'avoir des dettes, son état s'aggravera.

DEUIL

être en deuil : chance ; c'est un présage de très bon augure.

DEVINETTE

la faire : vous êtes indécis au sujet d'une question importante
recevoir une réponse : vous obtiendrez un éclaircissement sur une question importante.

DIABLE

le rencontrer ou en être ami : danger et douleur. Vous vous ferez posséder par une personne perfide que vous considérez comme un ami.

DIADÈME

le posséder : vous vous distinguez au milieu de la masse.

DIAMANT

le voir : accroissement des richesses et du bien-être
faux : joies éphémères, apparences trompeuses
le recevoir : des honneurs vous seront attribués
en faire collection : vaines sont vos espérances de réussir à exécuter l'un de vos projets
le perdre : vous serez outragé.

DIEU

l'adorer : vous êtes heureux et votre bonne étoile ne vous abandonnera pas
devenir un Dieu : vous serez prêtre ou religieuse
Si vous êtes malade : votre maladie s'aggravera
Si vous êtes pauvre : l'état de vos finances s'améliorera
Si vous êtes magistrat ou un personnage influent : la chance et la prospérité seront avec vous

prendre Dieu : vous aurez des problèmes et souffrirez de mélancolie. Si vous êtes pauvre, votre situation économique s'améliorera.

DILIGENCE

la voir : vous voyagerez dans des pays qui vous sont encore inconnus.

DINER

se voir en train de dîner : après tant d'amours faciles, vous avez enfin trouvé une personne qui vous aime sincèrement.

DIPLOME

le recevoir : vous êtes sûr de vous ; vous êtes à même de prendre des décisions et des engagements
le voir : vous avez négligé certaines choses importantes.

DIRECTEUR

le voir : une nouveauté vous attend ; un de vos désirs se réalisera à l'improviste
parler avec lui : vous accéderez à une position prestigieuse.

DIRIGEABLE

le voir : un de vos désirs sera exaucé
y voyager : le courage et la sérénité ne vous font pas défaut.

DISCORDE

voir des gens en train de se disputer : vous êtes mécontent. Attention ! un danger vous menace
entre amoureux : votre vie familiale sera sereine.

DIVAN

le voir : vous jouirez d'une position influente. Bien-être et [illegible]nce dans les affaires.

DIVORCER

Il vous faudra vous séparer de quelqu'un ou de quelque chose que vous aimez mais qui vous crée de gros problèmes.

DOIGTS

voir de beaux doigts en bon état : honneurs et prestige vous attendent
perdre un doigt : une personne de votre famille mourra
se les couper et voir le sang jaillir : quelqu'un de votre connaissance tombera gravement malade.

DOMESTIQUE

en avoir un : vous vivrez dans l'aisance même si vous perdez un peu de votre indépendance
l'être : vous gagnez bien votre vie mais vous devez travailler durement.

DONS

les recevoir : grand changement
Si vous êtes pauvre, vous vous enrichirez
Si vous vivez dans l'aisance, vous perdrez vos biens
les offrir : vous éprouverez une grande joie.

DORMIR

se voir : vous jouissez d'une mauvaise réputation
Un grave incident vous arrivera
être sur le point de s'endormir : malchance
dans une église : si vous êtes en bonne santé, vous tomberez malade
Si vous êtes malade, vous guérirez rapidement
dans une tombe : vous aurez des obstacles à vaincre
Il se peut que vous soyez victime d'un très grave accident.

DOS

beau : vous aurez une vieillesse heureuse

blessé ou rugueux : l'âge mûr créera des difficultés
se le casser : il vous faudra affronter de graves problèmes durant votre vieillesse.

DOT

la recevoir : vous vous marierez bientôt mais votre conjoint vous trompera.

DOUCHE

la prendre : votre zèle et votre ténacité ne seront pas reconnus ni appréciés des autres.

DOULEURS

physiques, les éprouver : vous tomberez malade
mal aux dents : un de vos parents guérira vite
mal aux oreilles : quelqu'un fait des ragots sur vous
mal aux yeux : un de vos enfants tombera malade
mal au ventre : vous avez agi d'une manière inconsidérée.

DRAGON

le voir : vous serez très favorisé dans le domaine du travail mais vous aurez des problèmes avec votre belle-mère
en être poursuivi : vous arriverez à vaincre une foule d'obstacles.

DRAP

en être recouvert : vous hériterez
le voir : maladie bénigne.

DRAPEAU

le voir flotter : vous conjurerez un danger mais faites attention
le porter : tout le monde vous respecte.

…ADAIRE

…ous mènerez une vie heureuse et variée mais votre … dur et absorbant.

DUEL

y participer : la jalousie provoquera entre vous et votre partenaire des discordes passagères. Quelqu'un est amoureux de vous
être blessé : il vous faudra traverser des périodes difficiles. Attention, vous courez un grave danger.

DYNAMITE

en train d'exploser : vous êtes très estimé.

E

EAU

qui bout : vous gagnerez beaucoup d'argent au jeu
putride et stagnante : vous vous querellerez et vous serez trompé
boire de l'eau salée : pleurs dus à un chagrin d'amour
s'enfoncer dans l'eau : une personne autoritaire vous humiliera
se baigner dans une eau limpide : vos sentiments sont purs et votre esprit serein
boire de l'eau chaude : vous tomberez malade
boire de l'eau froide : signe de bonne santé
Pour un malade : son état va s'améliorer
marcher sur l'eau : vous arriverez à vaincre un obstacle
eau bénite : signe de bonne santé.

ÉCHECS

y jouer : vous êtes habile et plein de ressources, vous arriverez à réaliser vos projets
voir quelqu'un y jouer : vous craignez un adversaire dangere[illegible]x ; vos craintes sont injustifiées.

[illegible]O

[illegible]e : vous recevrez la visite d'une personne amie
[illegible] une prédisposition aux troubles mentaux et à la

ÉCLAIR

(Voir **Foudre.**)

ÉCLAIRAGE

brusque, de lampes, torches, bougies : vous êtes gai et sympathique
Une nouvelle et subite passion vous emportera.

ÉCLATEMENT

le voir : vous serez le témoin d'un événement stupéfiant et à la fois magnifique
se trouver au milieu : les ennuis et les embêtements ne tarderont pas. Maladie possible.

ÉCLIPSE

De Soleil ou de Lune : voir **Soleil** ou **Lune**
Vous jouez de malchance, vous perdrez des amis ou des parents
Des pertes d'ordre financier sont possibles.

ÉCOLE

y aller : vous éprouverez des joies simples
s'y trouver : vous ferez une expérience désagréable
y emmener des enfants : vous avez le sens des responsabilités et vous prenez grand soin de votre famille.

ÉCREVISSE

la voir : vous romprez avec des amis malveillants
Vous naviguez en pleine incertitude
la prendre : mariage
Vous acquerrez davantage de confiance en vous.

ÉCRIRE

de la main gauche : enfants illégitimes, adultère, manque de loyauté envers son conjoint

se voir en train d'écrire : vous devez prendre une décision importante
voir quelqu'un : vous ferez bientôt un petit voyage
avec une écriture différente de la sienne : vous êtes déloyal et vous vous préparez à tromper un ami.

ÉCRITURE

lire une écriture inconnue : il se passera bientôt quelque chose de nouveau
voir son écriture : si elle est belle et lisible : vous aurez de la chance dans les affaires
Si elle est illisible, penchée ou bien manque d'élégance : votre situation économique empirera.

ÉCROULEMENT

d'une maison : ne comptez sur personne si ce n'est sur vous-même
économique : richesse et bien-être.

ÉCUEIL

(Voir **Rochers**.)

ÉCUREUIL

le voir : vous éprouverez une joie inattendue
le prendre : un grave danger vous menace
en être mordu : peines familiales en perspective.

EFFRAIE (chouette)

perchée sur une branche : certaines de vos activités financières subiront un ralentissement ou cesseront.

EFFRAYER

(Voir **Peur**.)

ÉGARER (S')

Vous rencontrerez une foule d'obstacles avant de trouver le bonheur
Gros chagrin.

ÉGLISE

s'y trouver : tranquillité. Vous serez consolé d'une déception que vous avez eue
entendre des fidèles qui y chantent : bonheur. Un de vos désirs sera exaucé
la voir détruite ou en flammes : grave malheur et tristesse
s'en enfuir : vous souffrez d'avoir été la dupe d'une personne perfide
en être chassé : vous êtes en train de surmonter des moments difficiles, ne vous découragez pas car l'avenir s'annonce plus rose.

ÉLÉPHANT

le voir sur le seuil de sa maison : vous pouvez être sûr du succès
le chevaucher : bonheur dans les affaires
s'il est menaçant et veut écraser le rêveur : grave maladie et danger de mort
le voir mort : vous renoncerez à un projet auquel vous teniez.

ÉLÈVES

les voir : votre vie sera longue et laborieuse
l'être : vous avez un tempérament mélancolique et vous êtes trop lié au passé.

EMBALLER

quelque chose : stagnation momentanée des affaires.

EMBARQUER (S')

pour un petit voyage : la vie vous réservera chance et plaisirs
pour un long voyage : vous jouerez de malchance.

EMBAUMER

une personne : votre fils aura le même caractère que vous

un animal : vous croyez à tout ce qu'on vous dit et vous serez trompé.

EMBOUCHURE

d'un instrument musical : un amour sensuel vous attend.

EMBRASSER

la main : on trahira votre confiance
le visage : amour, tendresse, noces proches
sur la bouche : hypocrisie
un enfant : vous serez heureux et vous aurez de la chance
une femme : il vous faudra conjurer un péril
un homme : amour malhonnête
une personne âgée : vous subirez une perte
vouloir embrasser quelqu'un et en être repoussé : vous êtes triste, mélancolique
une personne morte depuis longtemps : vous êtes sous de favorables auspices

prendre et serrer dans ses bras :

un ami (s'il s'agit d'une femme) : vous tromperez votre mari
une femme (s'il s'agit d'un homme) : vous aurez un enfant
des animaux : vous êtes ingénu : attention car on vous trompera.

EMBUSCADE

y tomber : vous découvrirez un secret
la tendre : soyez plus prudent.

ÉMERAUDE

la voir, la recevoir en cadeau : de grands changements sont prévus dans votre vie : résidence, état civil, patrimoine.

ÉMIGRER

Grands changements en prévision. Préparez-vous à changer de ville ou de travail ou de genre de vie.

EMPÊCHER

quelque chose : vous échapperez à une disgrâce ou à un attentat.

EMPEREUR

le voir : vous obtiendrez de l'avancement dans votre profession
parler avec lui : honneurs et reconnaissances vous seront attribués.

EMPOISONNER

quelqu'un : vous êtes vil et mesquin
être empoisonné : vous perdrez une personne qui vous est chère.

EMPORTER (S')

soi-même : vous avez un tempérament passionnel et agressif
voir quelqu'un : vous êtes pacifique et vous haïssez la violence.

ENCEINTE

voir une femme enceinte : il vous arrivera quelque chose de désagréable
l'être : vous envisagez la sexualité avec crainte.

ENCHAINER

quelqu'un : vous voulez empêcher quelqu'un de parler
voir des gens enchaînés : vous craignez que quelqu'un ne révèle un secret qui vous appartient
être enchaîné : si vous êtes encore célibataire, vous célébrerez bientôt vos noces.

ENCLUME

la voir : il est possible que vous souffriez de troubles sexuels
s'en servir : la persévérance et la constance vous caractérisent.

ENCRE

la voir : vous serez calomnié
la boire : vous agirez d'une manière stupide
l'acheter : vous recevrez une nouvelle importante.

ENDORMIR (S')

Vous êtes au bord de la dépression, vous avez besoin de repos.

ENFANT

redevenir enfant : bonheur et richesse
tenir dans ses bras un enfant mort : c'est un présage de très mauvais augure : grand malheur
dans les bras d'un homme : vous aurez un garçon
dans les bras d'une femme : vous aurez une fille
avoir des enfants : vous serez heureux
le voir tomber : des préoccupations et des obstacles ne tarderont pas à apparaître dans votre travail
voir beaucoup d'enfants : vous devrez surmonter beaucoup d'obstacles et vous aurez quelques problèmes.

ENFANTS

voir ses enfants : vous vous faites beaucoup de souci pour une situation que vous ne savez pas comment résoudre
voir son propre fils retourné à l'âge de l'enfance : vous vivrez dans l'aisance pendant un certain temps
rêver d'en avoir : il y aura des discordes en famille
avoir un enfant illégitime : de méchants ragots vous feront souffrir.

ENFER

le voir : votre vie changera du tout au tout

se trouver devant les portes : vous devrez affronter des ennuis et des litiges
y être : la situation empirera momentanément
en sortir : vous êtes finalement sauvé d'un danger.

ENFERMER

être enfermé : vous devrez vaincre des obstacles imprévus et ennuyeux
enfermer quelqu'un : vous arriverez à mettre hors d'état de nuire un de vos adversaires.

ENFONCER

dans l'eau : vous serez humilié par quelqu'un d'autoritaire
dans la boue : vous aurez honte d'une action peu légale et louche.

ENGELURES

les avoir : vous traverserez des moments difficiles.

ENGRAIS

le manger : vous serez couvert de richesses et d'honneurs
le voir ou le répandre : vous conclurez une bonne affaire, vous êtes sous d'heureux hospices.

ENLEVER

être enlevé : maladie.

ENNEMI

en triompher : la tristesse fera place au bonheur
le rencontrer : un rival deviendra inoffensif
l'embrasser : signe de paix
le voir : malchance, tristesse.

ENNUYER (S')

Il vous faudra soutenir une discussion désagréable.

ENROULER

quelque chose : vous aurez de petits chagrins.

ENSEIGNER

à quelqu'un : vous serez invité par des amis
recevoir une instruction : vous vous laissez dominer par les autres. Soyez plus indépendant.

ENTERREMENT

y assister : vous êtes en danger
suivre le sien : votre avenir sera brillant et sous d'heureux auspices dans tous les domaines
l'accompagner : vous recueillerez un héritage, vous deviendrez riche.

ENTERRER

(Voir **Tombeau.**)

ENTONNOIR

le voir : vous allez toujours au cœur de la situation, vous avez l'art de synthétiser et de conclure les affaires avec intelligence et sans dispersion inutile.

ENTRÉE

ouverte : bonheur et prospérité dans les affaires
fermée : il vous faudra surmonter une foule d'obstacles
solennelle (la voir) : vous êtes d'un naturel gai.

ENTRELACER

des objets : vous favoriserez un amour
Il vaudrait mieux que vous reportiez un voyage sinon celui-ci pourrait vous créer des ennuis.

ENTRER

ne pas trouver l'entrée : vous agissez sans réfléchir
dans une église : votre état d'esprit est bon mais vous avez besoin de réconfort.

ENVELOPPE

la voir : vous avez des secrets
fermée : vous voulez cacher quelque chose.

ÉPAULES

larges, imposantes : chance, bonheur et santé
blessées ou endolories : disgrâce, infirmité, mort d'un conjoint
gonflées : querelles et ennuis dans la famille.

ÉPÉE

la recevoir, s'en servir : vous parviendrez au pouvoir et à la célébrité
la briser : vous vous trouvez dans une situation embarrassante
la perdre : votre situation financière empirera
la dégainer : vous serez mêlé à un litige
se blesser avec : un personnage influent vous tendra la main.

ÉPIER

quelqu'un : votre comportement déloyal vous causera une humiliation. Soyez plus franc et plus sérieux.

ÉPILEPSIE

voir un épileptique : un grand changement se prépare dans votre vie.

ÉPINE

en sentir la piqûre : il vous faudra surmonter des obstacles, des douleurs ou de la mélancolie
Cela peut également signifier pour une femme un grand amour, non partagé.

ÉPIS

les cueillir : gain et abondance

les voir : vous arriverez à réaliser un de vos désirs
les arracher ou les piétiner : vous perdrez des occasions importantes qui vous empêcheront d'atteindre votre objectif.

ÉPLUCHER

quelque chose : deuil dans la famille.

ÉPONGE

l'utiliser : vous êtes avare, c'est la raison pour laquelle vous êtes antipathique et seul.

ÉPOUSE

(Voir **Mari.**)

ÉPOUSER

quelqu'un : votre avenir se présente sous d'heureux auspices
participer à un mariage : noces imminentes ou satisfactions d'ordre familial
danser lors d'un mariage : grandes satisfactions du point de vue affectif
épouser quelqu'un d'inconnu : il vous faudra franchir des difficultés.

ÉPRENDRE (S')

Vous serez victime d'une tromperie sans grande importance
voir un amoureux : vous vivez un amour secret.

ERMITE

le voir : vous avez des idées étranges. Tendance à la folie
l'être : vous mènerez une vie tranquille et retirée.

ÉRUPTION (cutanée)

l'avoir : maladie bénigne
la voir : de petits problèmes vous angoissent.

ESCALIER

le monter : vous aurez un grand succès dans tous les domaines et vous parviendrez à la position à laquelle vous aspirez tant
le descendre : vous subirez de considérables pertes d'argent
monter un escalier en colimaçon : votre réussite dans les affaires est sûre, mais lente : vous êtes trop indécis
monter une échelle : abondance, richesse
monter un escalier portant au ciel : joie, transformation radicale dans votre manière de vivre.

ESCARGOTS

les voir : votre paresse sera la cause d'énormes pertes d'ordre financier
les manger : votre entreprise périclitera.

ESCRIME

voir faire de l'escrime : dispute avec une personne amie
faire soi-même de l'escrime : vous devrez renoncer à quelque chose que vous désiriez depuis longtemps.

ESSAIM

d'abeilles : vous pouvez être assuré du succès en ce qui concerne vos affaires
en être piqué : vous êtes trop faible et sans énergie
de guêpes : vous vous entourez d'un trop grand nombre de personnes et cela vous créera des ennuis.

ESSENCES

en sentir le parfum : vous êtes entouré de personnes déloyales, gardez-vous des flatteurs.

ESTROPIÉ

l'être : vous aurez une foule de difficultés à franchir mais vous obtiendrez l'aide d'une personne amie
voir quelqu'un : vos amis ne vous tourneront jamais le dos.

ÉTABLE

y voir des animaux : votre travail sera long et laborieux mais à la fin il sera couronné de succès
la voir vide : changement en prévision.

ÉTALON

le voir : vous êtes plein de force et de courage et vous arriverez à surmonter tous les obstacles.

ÉTANG

avec des cygnes : noces imminentes.
(Voir aussi **Eau**.)

ÉTÉ

le voir chaud et agréable : abondance, richesse et bonne situation économique.

ÉTEINDRE

une lumière ou une lampe : vous aurez une déception amoureuse
le feu : joie, gaieté et chance.

ÉTINCELLE

la voir : joie éphémère. Vous remporterez des succès inespérés.

ÉTOFFE

la voir : voyage favorisé par la chance
la couper : vie brève mais heureuse.

ÉTOILES

les voir claires et brillantes : nouvel amour
Les voyages et les activités sont favorisés
filantes : dangers
les manger : déveine, disgrâce
les voir dans une maison : changement d'habitation, problèmes à résoudre
en voir briller une d'une manière excessive : naissance d'un amour durable.

ÉTOUFFER

se voir : vous souffrez de troubles bronchiques ou pulmonaires. (Voir **Poumon.**)
se sentir : vous êtes submergé de dettes.

ÉTRANGER

voir des pays inconnus : vous ferez un long voyage.

ÉTRANGERS

les rencontrer : vous ferez la connaissance de personnes intéressantes.

ÉTRANGLER

l'être : malchance, douleurs, soucis. Vous aurez beaucoup de dettes
étrangler quelqu'un : votre comportement inconsidéré causera de graves préjudices d'ordre économique à quelqu'un.

EUNUQUE

le voir : malchance. Danger menaçant.

ÉVANGILE

le lire : vous êtes obsédé par un problème et vous avez besoin d'un conseil sage.

ÉVANOUIR (S')

se voir évanoui : vous aimez sans être payé de retour. Maladie bénigne.

ÉVENTAIL

le voir : vous aimez passionnément quelqu'un qui ne partage pas vos sentiments. Tristesse.

ÉVÊQUE

le voir, parler avec : honneurs et reconnaissances
l'être : vous êtes trop ambitieux.

EXAMEN

y assister : vous atteindrez l'objectif fixé
le passer : vous rencontrerez de nombreux obstacles sur votre chemin, mais vous en sortirez victorieux. Vous êtes optimiste.

EXCRÉMENT

humain, en être souillé : vous subirez une offense
Querelle en famille
en souiller la tête de quelqu'un : mort de ce dernier
le manger : vous aurez une chance folle dans les affaires. Vous êtes ambitieux et de grandes richesses vous seront acquises
d'animal, le voir : si dans la réalité vous n'êtes en contact ni avec les engrais ni avec les matières fécales, ce rêve est un signe de danger, de maladie.

EXÉCUTION (capitale)

y assister : richesses et honneurs vous seront donnés, en revanche vous aurez des problèmes avec votre famille et en amour.

EXIL

y être : vous romprez des liens d'amitié. Tristesse
Vous changerez de travail ou de pays.

EXPÉDIER

quelque chose : vous ferez quelque chose qui était resté en suspens depuis longtemps
Vous vous libérerez de vos soucis.

EXPLOSION

l'entendre : un événement retentissant se produira dans votre famille
Peur.

FABRIQUE

(Voir **Usine**.)

FACTEUR

le voir : vous recevrez des nouvelles et une lettre d'une personne que vous n'avez pas vue depuis longtemps.

FAILLITE

rêver de faire faillite : votre situation économique s'améliorera. Nouvelles et importantes rentrées d'argent. Si vous jouez, la chance sera de votre côté.

FAIM

avoir faim : vous ferez de vains efforts
se rassasier : votre famille et vous-même traverserez une période de grande prospérité et d'abondance.

FAMILLE

voir la sienne : vous éprouverez une grande joie inattendue
en voir une autre : dispute en famille
la voir en désaccord : vous subirez une offense et vous serez critiqué.

FAMINE

rêver de devoir en pâtir : perte d'ordre financier
Il se peut que vous ayez un chagrin d'amour ou que vous vous sépariez. Prenez donc les mesures qui s'imposent pendant qu'il est encore temps.

FANTOME

de couleur blanche et inconnu : joie, consolation et santé
de couleur noire : un membre de votre famille mourra
qui parle : écoutez-le, il vous donnera un bon conseil
d'une personne morte : vous aurez une vie longue et heureuse.

FARDER (SE)

Vous devez vous soigner davantage
Maladie bénigne
voir quelqu'un : vous vous laisserez tromper par des personnes déloyales.

FARINE

la pétrir : grâce à vous, tout va pour le mieux dans la famille
la tamiser : un événement inattendu aura lieu dans les jours qui viennent.

FASCINER

quelqu'un : vous faites preuve de coquetterie
être fasciné : vous subirez des pertes d'argent.

FAUTEUIL

vous y asseoir longtemps : votre santé laisse beaucoup à désirer ; soyez plus prudent
vous y balancer : santé précaire
en voir de beaux chez soi : tranquillité familiale et aisance
d'une matière légère et fragile : vous êtes faible et instable :

lorsque vous vous fixez un but, vous ne vous obligez pas toujours à y arriver
Vous êtes trop soumis et conciliant
chaise longue, la voir : vous craignez qu'une aventure amoureuse passée ne soit découverte.

FAUX

l'avoir : avant six mois vous subirez un dommage : malchance et pertes financières
l'utiliser : vous ferez face à de nombreuses difficultés avec courage et résolution et vous les franchirez.

FEMME

la voir à ses côtés : dans le rêve d'un homme : vous contracterez une vilaine maladie ; dans le rêve d'une femme : vous mettrez au monde un garçon
menaçante : vous aurez de grosses discussions et des peines
ressemblant à sa propre mère : vous vous fiancerez et vous marierez très vite.

FENÊTRE

l'ouvrir : vous aurez une réussite brillante et facile dans le monde des affaires
la voir fermée : vous devrez affronter une foule de difficultés mais vous êtes courageux et constant
s'y précipiter : une grande nouveauté se prépare
y entrer : vous vous disputerez avec quelqu'un.

FERMER

une porte : vous voulez éviter les choses désagréables, vous êtes très individualiste et peu sociable.

FERS

trouver un fer à cheval : vous ferez un voyage sûr et heureux
battre un fer incandescent : ennuis et procès

en être blessé : vous ressentez une immense tristesse
le voir fondre : votre mariage sera très heureux
les vendre : vous serez victime d'une disgrâce ou d'un grave préjudice.

FÊTE

bal : d'ici peu, quelqu'un de votre connaissance annoncera ses fiançailles ou son mariage
y participer : grande joie et gaieté en perspective
y danser : vous êtes très amoureux et vous désirez vous marier.

FÊTE PATRONALE

d'un village, y participer : vous serez inopinément au comble de la joie.

FEU

l'allumer : un événement extrêmement important ne tardera pas à se produire
Vous avez une puissante et fascinante personnalité
allumer un petit feu : vous aurez une petite aisance, une petite vie et un petit bonheur
en allumer un grand : vous vivrez dans une grande aisance
se brûler : vous tomberez malade
l'éteindre : vous devrez modifier vos plans
avec de la fumée : vous commettrez une grave erreur.

FEUILLES

les voir vertes sur les arbres : vous avez beaucoup d'espoirs
Vous vous réjouirez
les voir sèches et qui sont tombées des arbres : il vous arrivera un malheur : deuil dans la famille.

FIANCÉS

les voir : vous vous marierez bientôt

voir son fiancé ou sa fiancée : vous serez heureux
danser avec lui ou avec elle : votre mariage se présente très bien
le/la voir courir : il/elle mourra
le/la voir mourir : il/elle aura une longue vie.

FIL

le tenir emmêlé dans ses mains : il vous faudra fournir un immense effort pour vous tirer d'affaire
l'enrouler : ralentissement d'une activité
Attention à l'avarice, elle vous rendra très malheureux
le démêler : vous trouverez la réponse à certains de vos doutes.

FILET

en être prisonnier : changement de situation
Vous désirez vous défaire d'une mauvaise habitude ou d'un vice qui vous empêche de trouver le bonheur. Soyez énergique et ne tergiversez pas
le lancer en mer : vous conclurez des affaires illicites
le rompre : vous serez plus astucieux que votre adversaire
l'entrelacer : aventure sensuelle
Joie et satisfaction.

FLAMBEAU

le voir de loin : vous vous trouvez actuellement dans une situation fâcheuse qui ne tardera pas néanmoins à s'améliorer
le porter : votre amour sera partagé
le voir brûler : vous aurez une longue vie
l'éteindre : quelqu'un de votre connaissance mourra
voir une retraite aux flambeaux : honneurs et reconnaissances vous seront attribués.

FLAMMES

(Voir **Feu.**)

FLAQUE

y tomber : il vaudrait mieux que vous fréquentiez un autre milieu. En effet vos amitiés présentes ne sont pas très recommandables
la franchir en sautant : vous éviterez une situation très désagréable et dangereuse
la voir de loin : si vous jouez à la loterie, vous gagnerez.

FLATTER

être flatté par un ami : celui-ci trahira votre confiance
flatter quelqu'un : vous obtiendrez fortune et richesse à force d'humiliations et de moyens peu orthodoxes.

FLÈCHES

en être touché : vous devrez résoudre des questions financières et les litiges conséquents avec des parents. Vous devez prendre une décision qui est loin d'être facile. Pesez-la attentivement.

FLEURS

quelles qu'elles soient : votre situation financière s'améliorera très nettement
les arracher : ne laissez pas vous échapper une bonne occasion
les planter : honneurs et argent vous seront acquis
les cueillir : gros gain
les voir se faner : vous tomberez malade
les lier : vous serez transporté de joie.

FLEUVE

aux eaux limpides : le moment est favorable pour un voyage
aux eaux troubles : le voyage sera plein de contrariétés et d'obstacles
le voir déborder : malchance, dégâts matériels et pertes d'argent
se baigner nu ou nager : chance, prospérité et richesse

le traverser et gagner l'autre rive : vous réussirez à vaincre heureusement tous les obstacles
s'y endormir : mort
y naviguer : la chance vous sourira et vos affaires seront prospères.

FOIN

le voir : abondance et prospérité
s'y allonger : votre vie sera sereine et heureuse.

FONDRE

quelque chose : multiples joies familiales.

FONTAINE

aux eaux limpides et jaillissantes : richesses et prospérité vous seront accordées
où l'eau jaillit à profusion : votre avenir et celui de votre famille sera prospère et sûr
en voir jaillir une depuis longtemps à sec : vous aurez une chance inattendue
fonts baptismaux : bonheur, votre mariage est serein
sans eau : maladie, malheur, pauvreté.

FORÊT

y pénétrer : des complications vous attendent
la voir : vous êtes serein et sûr de vous.

FORGERON

l'être : de fâcheux événements s'annoncent
Vous vous querellerez avec quelqu'un ; soyez plus indulgent
Si vous êtes sur le point de vous marier, c'est le présage d'une union réussie.

FOSSÉ

le franchir ou le sauter : vous éviterez un danger
y tomber : vous serez victime d'une disgrâce

le voir : vous êtes chanceux et téméraire mais vous avez encore le temps d'éviter une situation qui causerait votre ruine.

FOSSOYEUR

le voir : quelqu'un souhaite votre mort.

FOU

le voir : la vie vous prépare maintes surprises
l'être : vous êtes sous de très favorables auspices.

FOUDRE

la voir lors d'un orage : vous éprouverez de la douleur. Vous tomberez malade. Cela peut aussi indiquer une perte de biens.

FOULE

s'y trouver : vous êtes coléreux, vous vous disputerez avec quelqu'un.

FOUR

le voir : vous arriverez à résoudre une situation qui vous donne bien du souci
le chauffer : vous porterez à terme une entreprise commencée
l'utiliser : vous accomplirez jusqu'au bout un travail fatigant.

FOURMIS

les voir : bonnes affaires, abondance
être allongé sur une fourmilière : vous courez un très grave danger : prêtez plus d'attention que d'habitude à tout ce que vous faites
ailées, les voir : un voyage est à déconseiller, il serait marqué par la malchance et il vous conduirait à la ruine

les piétiner volontairement : vous êtes dénué de scrupules et vous aurez le dessus
les piétiner involontairement : vous aurez de graves préoccupations.

FOURRURE

la porter : vous passerez une période pleine d'activité, ne négligez pas pour autant les tâches moins agréables car cela pourrait gâcher la situation.

FOYER

(Voir **Feu**.)

FRAC

le porter : vous arriverez à un rang social très élevé.

FRAISES

en manger : vous aurez une occasion unique, ne la laissez pas échapper
les voir : vous tomberez amoureux
les cueillir : vous souffrirez d'un léger malaise
les offrir : un grand amour est fini mais vous en gardez un bon souvenir.

FRAMBOISES

en manger : vous aurez une liaison amoureuse de courte durée mais vous serez heureux pendant ce temps.

FRAPPER

le (ou la) conjoint(e) : il (ou elle) vous sera infidèle
n'importe qui d'autre : vous aurez affaire avec la justice. Vous serez l'objet d'une dénonciation ou d'un litige qui sera soumis aux tribunaux
être frappé (avec les mains ou avec un bâton) : la chance sera avec vous
l'être avec un fouet ou avec une canne en bambou : malchance, problèmes, chagrins.

FRAPPER (à une porte)

entendre frapper : vous recevrez une nouvelle désagréable et inattendue

se voir en train de frapper : vous recevrez une nouvelle triste et bouleversante.

FRÈRE

le voir : vous aurez des joies en famille
avoir affaire avec lui : vous éprouverez un grand chagrin
dispute avec lui : une situation peu agréable vous attend
le voir mourir : il aura une vie longue et heureuse.

FROID

avoir froid : vous êtes sur le point de tomber malade, surveillez un peu plus votre santé.

FROMAGE

le manger : gros gains et énormes profits
Vous êtes en bonne santé.

FRONT

haut et ouvert : vous avez le don de savoir parler
l'avoir en bronze, fer ou pierre : vous excitez la haine de quelqu'un
bas : vous devez montrer plus de courage et faire valoir vos droits
blessé : quelqu'un vous nuira.

FRUITS

les voir : abondance
sur les arbres : d'excellentes occasions du point de vue travail s'offriront à vous
les offrir : vous gagnerez à la loterie
les manger acides : vous aurez une maladie bénigne
les manger quand ils sont mûrs : vous passerez de belles journées avec des amis
les acheter : quelqu'un veut vous posséder.

FUIR

quelqu'un : vous serez favorisé en amour et dans les relations sociales

Vous réaliserez vos aspirations et vous vivrez sous d'heureux auspices.

FUMER

un cigare : plaisirs et gains
une cigarette : aventure sentimentale
la pipe : vous êtes quelqu'un de médiocre qui s'attache à l'apparence des choses
voir de la fumée : votre bonheur n'est qu'apparent
fumée noire : vous devrez surmonter des obstacles. Dispute
voir la fumée s'évanouir : vous résoudrez facilement une affaire compliquée.

FUMIER

en être couvert : la chance sera de votre côté en ce qui concerne le travail. Vous gagnerez de grosses sommes d'argent
y dormir et s'y rouler : dans le rêve d'un pauvre : accroissement des biens avec une chance inespérée ; dans le rêve d'un riche : cela signifie misère et humiliations
en être sali par des parents ou des amis : discordes en famille et humiliations
Vous êtes trop timide et vil
se le voir jeter en pleine figure : vous perdrez au jeu.

FUSIL

s'en servir : vous nourrissez des soupçons à l'égard de la personne aimée. Soyez moins jaloux, vous n'avez aucune raison à cela.

FUSILLER

quelqu'un : un ennemi ne vous laisse pas en paix et veut vous nuire
être fusillé : vous vivez un grand amour sans lendemain
voir tirer : vous éprouverez un léger malaise.

G

GAIETÉ

voir des gens gais : vous vous marierez bientôt
être gai : larmes et chagrins ne vont pas tarder.

GALERIE

dans une montagne : après de nombreuses difficultés vous parviendrez à une position élevée
dans une mine : vous deviendrez très riche
de peinture : votre vie est agréable mais elle est vide.

GALOPER

Votre carrière sera rapide et brillante.

GANTS

les porter : plaisir physique, grandes satisfactions
sales : vous aurez beaucoup d'ennuis.

GARDE

le voir : des obstacles se trouveront sur votre chemin. Vous arriverez à les surmonter en procédant par ordre et en vous armant de patience
l'appeler : vous êtes loyal et les gens ont confiance en vous
être arrêté : vous vivrez dans la tranquillité et la sérénité.

GARE

s'y trouver, la voir : voyage inattendu
Un peu de repos vous est nécessaire afin que vous ne soyez pas complètement épuisé.

GÂTEAU

le manger, le voir, le préparer : fête
l'offrir : votre amour n'est pas réciproque.

GÉANT

sur le seuil de sa maison : le destin vous est favorable, vous triompherez d'un adversaire
en être poursuivi et éprouver de la peur : vous réaliserez une de vos ambitions
le voir de loin : héritage.

GÉNÉRAL

le voir : vous recevrez la visite d'un haut personnage ; honneurs et reconnaissances vous seront décernés
à cheval : vous ferez une conquête
l'être : dans le rêve d'un militaire : vous aurez une brillante carrière et du succès ; dans le rêve d'une autre personne : un grave danger menace.

GENÊT

le voir : difficultés à surmonter.

GENIÈVRE (baies)

les manger : vous recevrez une bonne nouvelle
les cueillir : vous brûlez d'un amour ardent qui n'est pas partagé
en boire le sirop : vous jouirez d'une excellente santé.

GENOUX

les voir : votre bonne étoile vous suivra
blessés : perte d'ordre financier

tomber à genoux : vous serez humilié
en bon état : force, mouvement, voyage
malades : stagnation, improductivité.

GENS

en voir beaucoup : vous vous disputerez avec quelqu'un et il vous arrivera un petit malheur
vêtus de noir : il y aura un deuil dans votre famille
qui s'approchent : quelqu'un médit de vous.

GENTIANE

la voir, la cueillir : une personne vindicative profitera de vous.

GERBES

les voir dans un champ : chance, période florissante et agréable ; présage de bon augure, richesses et bonheur.

GIRAFE

la voir : n'abusez pas trop de vous-même ou vous userez votre vie.

GLACE

y marcher et perdre l'équilibre : vous subirez un revers de fortune
Si ce rêve est fait en hiver, il n'a pas de signification particulière, autrement il indique un changement néfaste
y marcher à toute vitesse : vous prenez trop dc risques dans vos affaires, soyez plus prudent
s'y enfoncer : vous éprouverez une grande peur.

GLACÉE (crème)

la manger : vous vous sentirez très triste et seul
Vous romprez avec une personne que vous aimez.

GLAND

le manger : vous êtes sans argent
le voir : vous vivez un amour sincère.

GLISSER

se voir : vous serez outragé et des bavardages vous mettront dans une situation embarrassante
voir quelqu'un : vous avez causé des ennuis et des chagrins à quelqu'un qui ne le méritait pas.

GORGE (vallée)

étroite : vous êtes un irresponsable. Si vous ne réfléchissez pas un peu plus, vous ferez du tort à un ami
s'y jeter : vous devrez vaincre de gros obstacles
ne pas arriver à en sortir : vous avez de mauvaises compagnies. Il se peut que vous vous droguiez.

GOUVERNAIL

le tenir dans ses mains : vous craignez de perdre le contrôle de la situation et cela dépend uniquement de vous
le voir tenir : vous aurez une position de second plan, position à laquelle vous aspirez car vous ne voulez pas vous créer de soucis inutiles.

GOUVERNANTE

la voir, en être soigné : votre instruction et votre éducation vous permettront de réussir dans une entreprise délicate.

GRAINES

voir des oiseaux en train de les picorer : vous perdrez de l'argent
les semer : vos projets se réaliseront
Vigueur et dynamisme
les acheter : tout marche bien dans votre travail
voir quelqu'un en train de les semer : vous jouirez d'une excellente santé
les manger : aventure sensuelle. Attraction physique dépourvue d'amour.

GRAISSER

se graisser : petites affaires et soucis à l'horizon

graisser quelqu'un : vous êtes sensuel et paresseux
Un ralentissement se produira dans votre activité.

GRANDIR

Vous parviendrez à une position sociale élevée et vous acquerrez honneurs et richesses.

GRANDS-PARENTS

s'ils sont en vie : vous avez encore une longue vie devant vous
parler avec eux : vous recueillerez un héritage.
(Voir aussi **Ancêtres**.)

GRAPPE DE RAISIN

la voir : déclaration d'amour. Aventure sensuelle
la couper : vous vous séparerez de la personne aimée
la manger : vous aurez beaucoup d'amants.

GRAS

vous engraissez : vous vivrez dans l'aisance mais vous aurez des problèmes
manger du gras : vous tomberez malade.

GRATTE-CIEL

le voir : vous êtes ambitieux et extravagant.

GRÊLE

la voir tomber : vous serez exposé au danger
si elle entre par la fenêtre : désaccord en famille.

GRENOUILLES

les voir : méfiez-vous des hommes trompeurs et fascinants
les tuer : vous atteindrez une position de prestige. Richesses

les entendre coasser : vous recevrez bientôt de bonnes nouvelles. Gaieté
les manger : reconnaissances et honneurs vous seront conférés.

GRILLAGE

le voir devant soi : vous devrez faire face à des difficultés et à des oppositions avant d'arriver à votre but.

GRILLE

la voir fermée : vous aurez un gros obstacle à franchir
la voir ouverte : on vous fera une intéressante proposition de travail.

GRILLON

l'entendre : vous avez plein d'amis et vous ne travaillez pas.

GRIMPER

sur un arbre : vous parviendrez à une position de prestige mais auparavant il vous faudra franchir maintes difficultés
voir d'autres personnes en train de grimper : méfiez-vous des individus sans scrupules
sur un rocher ou sur un mur : vous serez l'objet de calomnies et votre route sera barrée par une foule d'obstacles.

GRONDER

quelqu'un : vous perdez en vain un temps précieux
être grondé : vous éprouvez des remords pour une action déloyale commise il y a longtemps.

GROSEILLES

les manger : aventure, sensualité, début d'une relation amoureuse
les cueillir : vous trouverez le bonheur et la chance après bien des peines

les voir : ne laissez pas s'échapper une très bonne occasion.

GROSSESSE

être enceinte : le destin vous sera favorable (seulement s'il s'agit du rêve d'une femme)
Relaxez-vous
Les rapports sexuels vous font peur
voir une femme enceinte : vous aurez une expérience désagréable
avoir une grossesse difficile : vous avez peur du sexe.

GROTTE

s'y trouver : une personne amie vous abandonnera. Trahison
marine : mariage sans amour.

GUÊPES

en être piqué : vos ennemis sont cruels et dangereux
Embêtements et chagrins
les voir : vous recevrez une nouvelle désagréable.

GUERRE

s'y trouver : bagarres en famille et rupture des liens familiaux
la voir : chagrin d'amour et grandes peines.

GUIDE

le voir : vous êtes hésitant et vous ne savez pas quelle décision prendre. Vous avez besoin de l'appui des autres. Ayez davantage confiance en vous.

GUILLOTINE

la voir : reconnaissances et honneurs vous seront décernés
être guillotiné : vous perdrez un enfant.

GUIRLANDE

de fleurs : vous recevrez une heureuse nouvelle. Héritage
de feuilles : vous parviendrez à la célébrité et aux honneurs
en or : vous menez une vie mondaine
la tresser : vous mettrez en contact deux personnes qui s'aimeront
de palmes : chance, prospérité, mariage, fécondité.

GYMNASTIQUE

la faire : vous ferez bientôt un voyage dû au destin.

H

HABILLER (S')

avec soin et recherche : en réalité vous vous négligez, vous devez soigner davantage votre mise.

HABITATION

en avoir une vieille et en mauvais état : vous vous lancerez avec succès dans de nouvelles activités
en avoir une moderne : vous prendrez du grade et vous aurez plus d'autorité.

HABITS

adaptés à la saison et à la situation : chance, vous ferez de bonnes affaires
inadaptés à la saison et à la situation : ruine
trop étroits : honte, vous menez une vie équivoque
indécents et ridicules : si vous n'appartenez pas au monde du spectacle, c'est un présage de mauvais augure, blâme et échec
habit de moine : vous serez couvert d'honneurs
blancs : vous jouerez de malchance
noirs : vous aurez une bonne santé et du succès dans votre profession
rouges : vous êtes gai, entouré d'amis et sous d'heureux auspices

si un homme porte des habits de femme : vous aurez une fâcheuse et triste aventure
porter des habits tachés de sang : vous acquerrez richesses, honneurs et pouvoir
porter l'habit de mariée : si vous jouez, vous gagnerez un lot.

HACHE

l'utiliser : attention à un danger menaçant. Vous serez calomnié. Querelles
abattre des arbres ou fendre du bois : accroissement continuel du bien-être.

HAIE

la trouver sur son chemin : vous devrez surmonter bon nombre d'obstacles
la sauter : vous êtes très actif et vous réussirez à atteindre votre but
de baies comestibles : vous ne manquez jamais de profiter des bons moments de la vie. Vous possédez une nature sensuelle et douce.

HAMEÇON

le voir : faites attention car vous serez trompé.

HARICOTS

blancs : il y aura beaucoup de bruit pour rien
rouges : vous vous montrerez courageux. Dans le rêve d'une femme : fertilité
les cueillir : vous résoudrez des situations épineuses
les cuisiner : vous vous trouverez en difficulté du point de vue financier
les manger : vous devrez traverser des moments désagréables. Querelle
les voir pousser : vous réaliserez un de vos désirs.

HARPE

jouer de la harpe : la chance vous sourira. Joies. Vous pourrez cicatriser quelques-unes de vos blessures.

HATE

être pressé : vous recevrez des hôtes.

HAUTEUR

y monter : vous aurez une discussion avec quelqu'un.

HERBE

voir un pré vert : votre conseil portera bonheur à quelqu'un ; gardez-vous d'une personne infidèle
la faucher : vous redresserez votre situation financière
y être allongé : c'est le début d'une période particulièrement heureuse
sèche : vous êtes faible, risque de maladie bénigne
mauvaise : voir **Chiendent**.

HÉRISSON

le voir : vous êtes jaloux de votre conjoint et vous avez raison
Contrariété et désagréments.

HÉRITIER

rêver d'hériter : vous perdrez beaucoup d'argent
donner un héritage : vous vous sortirez d'une situation embarrassante.

HÊTRE

le voir : un ami fidèle restera toujours auprès de vous.

HEURTER

être heurté : vous subirez des pertes d'ordre financier
quelqu'un : lorsque vous voulez atteindre un but vous ne vous faites pas trop de scrupules
Vous êtes insensible.

HIBOU

l'entendre : vous recevrez une mauvaise nouvelle
le voir : vos affaires stagnent. Vous êtes actuellement en pleine inactivité.

HIRONDELLES

les voir voler : c'est un triste présage si c'est une personne jeune qui fait ce rêve
Pleurs et mélancolie
au nid : vous serez soudainement au comble de la joie
les entendre gazouiller : vous recevrez une bonne nouvelle.

HIVER

rigoureux : si vous vous mariez vous serez malheureux. Vous aurez un mari (ou une femme) froid(e) et inconstant(e). Si vous êtes déjà marié, vous aurez des chagrins.

HOMICIDE

le commettre : vous êtes en danger de mort
le voir commettre : vos affaires seront favorisées par le destin. Richesses et bonheur.

HOMME

le voir : dans le rêve d'une femme et si l'homme se comporte d'une manière affectueuse, le désir que vous avez d'être protégée et sécurisée sera comblé
voir un inconnu : vous serez la proie d'aventures faciles
en voir un défiler : vous vous lancerez dans une folle entreprise sans espoir.

HONNEURS

rendus ou reçus : vous êtes méfiant et pas très loyal.

HONTE (avoir)

de quelque chose : la chance vous accompagnera dans votre profession bien que vous ayez des remords pour une action déloyale commise au détriment de quelqu'un.

HOPITAL

s'y trouver : contrôlez votre état de santé. En réalité vous vous portez comme un charme mais vous y pensez trop. Ne seriez-vous pas le malade imaginaire typique ?
être dans un hôpital avec d'autres malades : maladie grave. Il est probable que vous ayez à soigner une dépression nerveuse.

HOQUET

avoir le hoquet : on vous fera un affront.

HORLOGE

une pendule qui bat les heures : vous vous adonnez surtout à votre travail
la remonter : n'oubliez pas un rendez-vous
cassée ou arrêtée : vous avez un grave problème
la trouver : vous ignorez la ponctualité
d'un clocher : vos amis vous tiennent en grande estime
la voir tomber et se casser : souffrance, maladie
lire les heures : chance, bonne santé.

HOSTIE

la voir, la manger : paix, foi en Dieu.

HOTEL

dans des lieux inconnus : vous arrivez à un tournant décisif de votre vie
si des inconnus et personnes sans visage y déambulent : prenez garde aux personnes qui vous entourent, soyez plus attentif.

HUILE

la boire : maladie
la verser par terre : il vous arrivera malheur

la voir répandue : vous perdrez beaucoup d'argent
recueillir de l'huile répandue : chance et bonheur.

HUITRE

la manger : vous aurez une grossesse heureuse
fermée : vous êtes froid et inconstant avec la personne aimée
ouverte : vous vivez un amour heureux.

HURLEMENT

l'entendre : vous souffrirez d'un pénible malaise mais vous en guérirez vite.

HURLER

entendre des chiens ou des loups hurler : péril imminent. Catastrophe naturelle.

HYMNE

le chanter ou l'écouter : vous traversez une période difficile, pleine de problèmes dans tous les domaines.

HYPNOTISER

quelqu'un : vous serez à la fois sage et savant
être hypnotisé : quelqu'un vous apprendra à vivre et à vous sortir d'un mauvais pas, si besoin est.

IDOLE

y rêver : c'est un funeste présage
l'être : ne cherchez pas l'impossible, soyez raisonnable, vous souffrez d'un gros complexe d'infériorité.

ILE

s'y trouver : vous êtes très seul. Vous avez soif de voyages et d'aventure
Vous êtes insatisfait sur le plan sexuel.

IMBERBE

l'être : si cela ne correspond pas à la réalité, vous vous créez des problèmes inutiles et vous manquez de sincérité.

IMMEUBLE

le voir : vous êtes tourmenté par l'indécision et mécontent de vous-même. Choisissez votre objectif, la façon d'y parvenir et vous y réussirez
habiter dans un immeuble moderne : votre orgueil est démesuré
habiter dans un immeuble ancien : misère et douleur
le recevoir en cadeau : vous aurez une surprise agréable et inattendue
le construire : vous êtes trop ambitieux. Cela sera cause de malchance et de douleurs.

IMPERMÉABLE

le porter : vous vous trouverez dans une situation difficile mais vous arriverez à en sortir.

IMPOTS

les payer : vous êtes un homme digne d'estime mais il vous faudra affronter des moments difficiles.

IMPRIMER

voir quelqu'un : vous bavardez trop. Bientôt tout le monde sera au courant de vos secrets.

INAUGURER

quelque chose : vous débuterez dans une nouvelle entreprise.

INCENDIE

le provoquer : ruine.
(Voir aussi **Feu.**)

INCESTE

Il se produira de graves désaccords en famille.

INCLINER (S')

devant quelqu'un : vous occuperez une position de second plan
voir une personne qui s'incline devant vous : vous recevrez des honneurs
voir quelqu'un s'incliner : la célébrité et la fortune vous sont destinées.

INCULPER

quelqu'un : votre santé est chancelante, il faut vous soigner
soi-même : vous êtes respectueux et heureux

le (ou la) conjoint(e) : vous recevrez une mauvaise nouvelle.

INONDATION

de sa maison : discussions en famille. L'harmonie ne règne pas chez vous
d'eaux limpides et tranquilles : vous acquerrez de nouveaux biens.

INSECTES

en être couvert : des préoccupations et des ennuis se préparent pour vous
les voir : vous subirez une petite perte d'argent
en être piqué : vous vous faites duper, vous êtes trop crédule.

INTERROGER

quelqu'un : on vous épie continuellement.

INTESTINS

les voir en bon état : la santé, la force et la vigueur vous accompagneront
les voir malades : pauvreté, maladie bénigne
être éventré : si les intestins sont sains : vous aurez beaucoup de chance ; s'ils manquent : malheur, abandon de la patrie, ruine des enfants
Dans le rêve d'un malade : guérison rapide.

INVALIDE

le voir : votre santé est en péril
l'être : vous vous retirerez bientôt de votre fonction.

INVENTER

quelque chose : vous perdrez beaucoup d'argent.

INVITATION

la recevoir : vous êtes ambitieux
la faire : vous participerez à une fête.

IVOIRE

rêver d'objets en ivoire : aisance, richesse.

IVRE

se voir soi-même : maladies mentales, malchance et gros obstacles à franchir
voir quelqu'un : vous êtes insatisfait de votre condition présente mais une amélioration ne tardera pas à apparaître.

JACINTHES

les recevoir : vous recevrez un cadeau qui vous plaira.

JAGUAR

le voir : il vous arrivera un malheur mais quelqu'un vous apportera un grand réconfort.

JAMBES

les bouger avec difficulté : des soucis et des douleurs vous affligent
les avoir parfaites : vous éprouverez une joie inespérée
en perdre une : un de vos chers amis mourra
les casser : malchance dans votre profession
gonflées : vous perdrez de l'argent
blessées : une disgrâce se produira
artificielles : vous serez trompé.

JAMBON

le manger : vos affaires seront plus calmes ; difficultés financières.

JARDIN

fleuri : vous aurez une surprise agréable
dépouillé : impuissance, chagrins

suspendu : vous avez reçu une éducation rigoureuse. Vous êtes loyal
s'y promener : votre vie est très heureuse
voir un jardinier qui y travaille : richesse et chance.

JARRETELLE

la voir : vous serez chanceux en amour
Ne profitez pas d'une situation car elle se retournerait contre vous
cassée : des liens sentimentaux qui semblaient devoir durer une éternité se rompront pour une bêtise.

JASPE

le voir : fidélité et constance dans les résolutions prises.

JÉSUS

le voir : si vous faites de grands sacrifices, vous serez récompensé.

JEUNE

le redevenir : vous êtes trop vaniteux et vous serez critiqué
voir des jeunes : vos enfants auront une bonne situation
du sexe masculin : les astres sont avec vous
du sexe féminin : vous aurez des problèmes.

JEUNER

Vous êtes sans moyens et malheureux.

JOUER

aux cartes : vous tromperez quelqu'un
avec des jouets : coup de foudre, bonheur durable
voir des jouets : vous éprouverez des remords.

JOUES

les avoir douces et bien remplies : grande joie
creuses et ridées : c'est un signe de mélancolie et de larmes

fardées : vous vous trouverez dans une situation embarrassante.

JOURNAL

le lire : vous recevrez bientôt de bonnes nouvelles
le recevoir : évitez d'être intrigant et trop curieux.

JOURNAL (intime)

le tenir : vous tomberez malade.

JUGER

être jugé par un bon juge : vous serez sévèrement jugé et blâmé à cause de la manière dont vous vous êtes comporté
être jugé par un juge à l'air renfrogné : vous serez importuné
être jugé par un juge surnaturel : vous trouverez une aide inespérée lors d'une controverse.

JUMEAUX

les voir : une agréable surprise vous attend
qui jouent : votre vie familiale est sereine.

JUPE

la voir : vous serez attiré par une femme astucieuse
la porter : malchance et mort si c'est un homme qui fait le rêve.

JURER (blasphémer)

Parlez moins.

JURER

quelque chose : vous devrez témoigner à un procès
entendre jurer : vous dominerez d'autres personnes
voir un juré : vous perdrez estime et honneur.

LABORATOIRE (de chimie)

Douleurs et maladies vous affligeront.

LABYRINTHE

ne pas en trouver la sortie : vous aurez des ennuis et des chagrins. Vous avez un caractère faible et vous vous créez des problèmes pour rien
réussir à en sortir après de grands efforts : vous surmonterez les difficultés qui se présentent dans votre travail.

LAC

se trouver sur la rive : si l'eau est calme et limpide : la chance sera avec vous dans les affaires. Votre partenaire sera infidèle
y nager : malchance. Vous êtes en danger
y naviguer : vous ferez un voyage agréable. Vous êtes très heureux.

LACER

quelque chose : vous nouerez des liens sentimentaux avec quelqu'un.

LAINE

tricoter : quelqu'un se moque de vous

la voir : un ralentissement se produira dans votre activité
l'acheter : il vous faudra faire face à des difficultés, mais vous n'aurez pas de mal à les surmonter.

LAIT

le voir : chance, mais surveillez votre santé
de chèvre : maladie bénigne
l'acheter : joies et richesses
le boire : vous dépensez trop d'argent inutilement
le renverser : la nouvelle année vous sera bénéfique
le laisser déborder : vous êtes entouré de personnes malveillantes.

LAITON

Vous possédez un objet qui semblait précieux mais qui en réalité a peu de valeur.

LAITUE

la voir : vous perdez votre temps avec des choses inutiles et vous négligez les plus importantes
la manger : attention à votre santé (maladie bénigne).

LAMPE

l'allumer : si la lumière est vive : vous vous enrichirez ; si la lumière est pâle : vous perdrez de l'argent
la porter : la voie que vous avez choisie est la bonne.

LANCE

la voir : un péril vous menace
la lancer : méfiez-vous de quelqu'un de votre entourage.

LANCE-PIERRES

le voir : vous avez autour de vous des personnes déloyales et perfides
l'utiliser : vous devrez vous défendre dans une circonstance désagréable.

LANGUE

la voir : vous vous occupez trop des autres et parfois même vous êtes cancanier
normale et saine : signe de chance
collée au palais et vous empêchant de parler : vous devrez affronter de gros obstacles
gonflée : maladie
poilue : malchance, maladie.

LANTERNE

magique : quelqu'un est en train de vous duper.
(Voir aussi **Lampe**.)

LAPIN

le voir : vos passions s'éteignent aussi vite qu'elles s'allument. Vous êtes inconstant
le tuer : vous serez trahi par de faux amis.

LARD

frais : chance et prospérité
salé : quelqu'un médit de vous mais votre probité sera reconnue
le manger : vous éprouverez une grande joie
le couper : un deuil surviendra dans votre famille
le faire fondre : soyez plus prudent.

LARMES

rêver de pleurer : une joie inattendue se prépare.

LASSO

le voir : vous serez trompé
y rester pris : vous célébrerez bientôt vos noces.

LAURIER

le voir : célébrité, honneurs et richesses vous seront accordés

feuilles : vous épouserez quelqu'un de riche
guirlandes : vous serez récompensé
Vous êtes doté d'un tempérament artistique mais peu altruiste.

LAVANDE

la voir, la sentir : vous éprouverez une grande douleur.

LAVER

se laver : vous acquerrez des richesses
laver quelqu'un : soyez plus patient en famille
dans de l'eau propre : richesse, prospérité, santé
dans des eaux thermales : santé, mais inactivité et oisiveté.

LÉCHER

être léché : vous êtes adulé
quelqu'un : vous êtes trop soumis et vous vous laissez tromper par tout le monde.

LEÇON

y assister : votre savoir laisse beaucoup à désirer
la faire aux autres : vous êtes exhibitionniste et vaniteux et cela vous créera bien des ennemis.

LÉGUMES

les manger, les voir : vous serez très malchanceux
les cultiver : vous êtes aimé
Joies familiales
les cuire : problèmes et ennuis.

LENTILLES

en manger : vous aurez beaucoup de soucis financiers
les faire cuire : vous vous sortirez d'une situation dangereuse.

LÉOPARD

le voir : attention ! un danger vous menace. Vous aurez très peur.

LETTRE

la recevoir : vous vous réjouirez énormément
en recevoir une illisible : quelqu'un trame quelque chose de louche dans votre dos
écrire à un ami : vous négligez vos amis. Vous êtes trop égoïste
recevoir une lettre dont le contenu est clair : chance et satisfactions dans votre profession.

LÈVRES

belles, saines : vous vivez dans l'aisance et la sécurité
pâles : vous êtes trop irascible
coupées : quelqu'un vous trahit.

LÉZARD

le voir traverser une rue : un ami veut vous donner un conseil désintéressé
le voir au bord d'une rue ou sur un rocher : méfiez-vous, des personnes malfaisantes sont sur le point de vous tendre un piège.

LICENCIEMENT

être licencié : vous êtes un peureux. Affrontez les situations avec plus de courage, de résolution et d'application
licencier quelqu'un : vous vous libérerez d'une personne importune.

LIÈGE

le voir, s'en servir : vous êtes irréfléchi et inconséquent en affaires.

LIER

quelque chose : vous aurez affaire à la justice

se faire lier ou être lié : vous aurez rendez-vous avec la personne aimée ; aventure.

LIERRE

en recevoir un pot ou en ramasser un rameau ou en tenir dans la main : vous avez une amitié fidèle et durable
le planter : une personne vous aidera à fonder les bases d'une amitié solide
en faire une guirlande : quelqu'un de votre entourage mourra.

LIÈVRE

le voir : saisissez l'occasion qui passe avant qu'elle ne vous échappe
le manger : dispute
le tirer : vous aurez un embêtement au cours d'un voyage.

LIGNE

la voir : attention ! quelqu'un veut vous tendre un piège.

LIME

la voir : vous êtes trop superficiel et approximatif. Appliquez-vous davantage dans votre travail.

LIMITES

les tracer : vous voulez vous éclaircir les idées
les voir : il vous faudra franchir quelques obstacles.

LINGE

mis à sécher : il vous faudra affronter des commérages faits sur votre compte
sale et exposé : vous perdrez un procès
dans une armoire : vous réussirez à vous assurer un certain bien-être matériel.

LION

être assailli : vous aurez des discussions avec la personne

aimée. Vous êtes trop autoritaire et vous voulez toujours vous imposer
se battre avec et le vaincre : vous triompherez d'un ennemi dangereux
doux : vous rencontrerez une personne loyale qui sera votre amie.

LIRE

des livres : vous manquez de maturité
des lettres : chance
des journaux : voir **Journal**.

LIT

être étendu sur un lit propre et bien fait : vous tomberez malade
le casser : vous désirez divorcer
Il se peut que vous appréhendiez les rapports sexuels
le voir : votre bonne étoile sera avec vous dans le travail
vide : vous aurez une déception amoureuse.

LITIGE

La situation est sur le point de changer. Soyez prudent et en garde contre des personnes malveillantes
avec des amis : chagrin
avec le conjoint : votre mariage sera heureux
avec une personne du sexe opposé : vous allez tomber amoureux.

LIVRE

le lire : vous aurez honneurs et gloire
l'acheter : vous ferez de nouvelles connaissances
le brûler : vous perdrez l'amitié d'une personne cultivée et sensée
le manger : dans le rêve d'un jeune ou d'un philosophe : chance
Pour toute autre personne, ce songe prédit une mort prématurée.

LOCOMOTIVE

la voir : vous éprouvez un vif désir de voyager
Une passion imprévue vous dévorera à l'improviste
qui déraille : malheur.

LOMBRIC

le voir : vous êtes quelqu'un d'honnête, aussi ne vous laissez pas tromper par des gens sans scrupules.

LOTERIE

y participer : pertes financières
voir les chiffres de la loterie : s'ils sont énumérés par une personne défunte, jouez-les.

LOUANGE

l'entendre : quelqu'un dit du mal de vous
la chanter : vous êtes loyal, votre vie sera sereine.

LOUER

une maison : vous serez trahi par un ami qui vous est cher.

LOUPE

l'acheter : soyez attentif et prudent
la casser : on vous nuira.

LOUPS

être assailli : ennemis, souffrances
les entendre hurler : la situation est dangereuse et désagréable
les voir : les temps qui s'annoncent seront difficiles.

LUCIOLES

les voir : vous recevrez une preuve d'amour mais ne vous faites pas trop d'illusions car ce sera quelque chose d'éphémère.

LUMIÈRE

être inondé d'une lumière soudaine et intense : vous vivez dans un monde illusoire et éphémère.
(Voir aussi **Lampe**.)

LUNE

pleine : bonheur dans le domaine amoureux
Vous acquerrez de nouvelles richesses grâce à une femme
y voir sa propre image : vous aurez un enfant.

LUTTE

en sortir victorieux : chance
avec un ami ou un parent : haine à son égard et dispute imminente
avec un inconnu : maladie, danger
avec un enfant : si c'est l'enfant qui triomphe ; maladies ; si c'est le rêveur qui gagne : deuil dans la famille
avec une personne morte depuis longtemps : disputes en perspective avec la famille d'une personne défunte depuis plusieurs années.

LYS

les cueillir : vous vivrez un amour sensuel
en voir des blancs : vous êtes fidèle en amour
de couleur : vous serez trompé.

M

MACHINE

à écrire : vous vous réconcilierez avec quelqu'un
à coudre : vous résoudrez rapidement un problème
vieille : prospérité, richesse.

MACHOIRE

la voir : vous aurez une longue vie.

MAGASIN

rempli de monde : vous conclurez de bonnes affaires. Bien-être
y aller : grosses dépenses
le voir : pour l'instant, vous n'avez pas d'argent mais votre situation ne tardera pas à s'améliorer
le voir fermé : vos affaires vont mal.

MAGICIEN

le voir : vos affaires vont bien mais prenez garde, quelqu'un veut vous escroquer.

MAIGRIR

Vous êtes au bord de la dépression
voir quelqu'un maigrir : vous vous enrichirez aux dépens d'autrui.

MAILLES

voir un filet : grande passion pour une femme (amour sensuel).

MAINS

belles, fortes : vous mènerez à terme des affaires importantes
sales : vous êtes hypocrite et voleur
blanches, très pâles : coquetterie
perdre la main droite : perte d'un fils, du père ou d'un grand ami
perdre la main gauche : vous perdrez votre femme ou votre sœur ou une amie très chère
douloureuses : vous pleurerez
sanglantes : séparation, perte d'amis.

MAISON

solide : vous êtes aimé et vous goûtez les joies intenses de la famille
petite : sérénité et joie
grande : bonheur, abondance et richesses. C'est le moment d'oser et de vous lancer dans de nouvelles affaires
se trouver dans une maison inconnue et vide : vous aurez des discussions en famille
Renouvelez-vous et soyez plus dynamique, vous en avez besoin
Vous vous sentez entravé par votre famille.

MAITRE

d'école : vous avez encore beaucoup à apprendre
de musique : vous réussirez dans une activité artistique
d'armes : querelle
à danser : vous aurez de la chance en amour
professeur de langues : le prochain voyage que vous ferez sera dans un pays lointain.

MAL

à la tête : vous êtes inconstant en amour

à l'estomac : vous commettez des erreurs dans votre alimentation
aux yeux : on veut vous duper.

MALADE

l'être : vous êtes triste et mélancolique, vous avez soif d'affection et de compréhension
voir un membre de la famille malade : si vous êtes au chômage, c'est à votre parcsse qu'il faut vous en prendre
lui rendre visite : la personne à qui vous rendez visite dans le rêve est triste et abattue
voir un enfant malade : vous aurez des problèmes en famille.

MALLE

la transporter : certaines de vos espérances ont été déçues
la perdre ou en être volé : vous aurez des incertitudes dans votre travail.

MAMELLES **(d'animaux)**

les voir : vous aurez de la chance et vous vivrez dans le bien-être
gonflées de lait : c'est une prédiction de bonne santé, de richesse et de carrière rapide.

MANDARINE

la manger : plénitude et richesse.

MANGER

des aliments cuisinés par le rêveur : chance et prospérité
un mets appétissant mais au goût mauvais : déception amoureuse
de la viande : gains considérables
des gâteaux ou des fruits : aventure amoureuse
des légumes ou de la salade : attention à votre santé.

MANSARDE

habiter dans une mansarde moderne : vous ferez de grandes choses
la voir en ruine : vous déménagerez
être emprisonné dans une mansarde : malchance, il est possible que vous soyez condamné et incarcéré.

MANTEAU

trop grand : tristesse
le perdre : vous aurez des soucis
troué ou déchiré : on a pitié de vous
voir quelqu'un l'enlever : vous serez mortifié.

MARBRE

le voir : des personnes dures et sans cœur vous rendent triste.

MARCHÉ

en voir un en pleine activité : vous perdrez de l'argent
le voir peu fréquenté : la chance vous sourira si vous êtes dans le commerce
y rencontrer quelqu'un que vous connaissez : on colportera des ragots sur vous.

MARCHER

en descente : le succès vous sera assuré sans aucune difficulté
monter une côte : vous parviendrez au résultat souhaité mais en peinant énormément
à toute vitesse : vous aurez des obstacles à franchir
dans la saleté : vous êtes avare et cela vous crée des problèmes.

MARÉCAGE

s'y trouver, le voir : il vous faudra vaincre des difficultés, des privations, des maladies et la pauvreté
s'y enfoncer : un danger vous menace. Prenez garde.

MARI

le voir : si vous êtes encore célibataire, vous vous marierez bientôt
Même si vous aspirez au mariage, vos espoirs seront déçus pour le moment
en avoir un : si le mari que vous voyez en rêve n'est pas le vôtre : trahison.

MARIAGE

voir son propre mariage : si vous venez d'entreprendre une nouvelle activité, la chance sera avec vous
Aux autres ce songe prédit des problèmes, des troubles, un bonheur de courte durée
voir le conjoint se remarier : vous vous séparerez ou vous changerez de métier
se voir soi-même en train de se remarier : vous divorcerez ou votre conjoint disparaîtra
avec une personne jamais vue ou sans visage : il vaut mieux que vous abandonniez les nouvellcs entreprises et que vous concentriez tous vos efforts dans l'activité passée
assister à un mariage : noces imminentes ou satisfactions en famille.

MARIONNETTES

y jouer : vous n'êtes pas très sérieux
les voir : vous êtes entouré de personnes malveillantes
Vous donnez trop d'importance aux choses extérieures.

MARMITE

la voir : vous subirez un préjudice
Votre conjoint est très jaloux
sur le feu : vous recevrez des visites inutiles et ennuyeuses.

MARRONS GRILLÉS

les manger : vous traversez une période de chance et de bonheur.

MARTEAU

le voir : vous vous faites du souci ; la situation est désagréable
l'utiliser : sensualité, passion ardente
en être frappé : on vous demandera de l'argent avec beaucoup d'insistance.

MASQUE

voir quelqu'un en porter un : méfiez-vous, on veut vous tromper
le voir : trahison.

MASSER

être massé : vous avez de légères préoccupations
quelqu'un : vous parviendrez à une assez bonne position économique, faites preuve de courtoisie et de modération.

MASTURBER (SE)

se voir : vous aurez des déboires financiers
Vous êtes très malheureux et insatisfait.

MÉDAILLE

la recevoir : vous êtes vaniteux et égocentrique
la donner : vous recevrez honneurs et reconnaissances.

MÉDECIN

avoir à son chevet un médecin qui vous assiste : légère indisposition
si vous devez faire avaler un médicament : vous aurez un chagrin
s'il fait avaler un médicament à autrui : la joie et la réussite vous accompagneront dans votre travail.

MELONS

les voir : vous vous faites de vaines illusions, soyez plus concret

les manger : vous vous préoccupez de choses inutiles
les acheter : vous êtes crédule et vous ne savez pas distinguer les vrais amis des faux
en voir beaucoup : médiocrité dans votre travail.

MENACER

quelqu'un : ne soyez pas injuste ou vous ferez du tort à quelqu'un qui ne le mérite pas.

MENDIANTS

l'être : vous perdrez un procès
Vous n'avez pas beaucoup confiance en vous
Soyez plus indépendant
en voir un frapper à la porte : richesse et tranquillité pécuniaire
leur donner de l'argent et les réprimander : cadeau ; vous serez récompensé d'une bonne action que vous avez faite.

MENOTTES

les avoir : vous aurez affaire avec la justice
les voir sur autrui : mauvaises nouvelles
les mettre à quelqu'un : vous éliminerez un ennemi dangereux qui vous barrait la route.

MÉPRISER

quelqu'un : on vous a fait injustement du tort
être méprisé : votre carrière sera rapide et heureuse.

MER

agitée : le cœur domine votre raison, votre vie sera tumultueuse
calme : sérénité et succès dans les affaires
marcher sur l'eau : mariage heureux
y naviguer : vous connaîtrez des pays étrangers. Vous êtes très audacieux.

MÈRE

la voir : vous vous trouvez en sécurité et protégé même si vous aimeriez que votre conjoint soit plus prodigue d'affection
voir sa mère morte : vous aurez une longue vie. Si elle vous parle, croyez ce qu'elle vous dit
la voir mourir : elle vivra longtemps.

MESSE

l'écouter : tranquillité et chance. C'est un signe de bon augure.

MÉTÉORITE

la voir : vous avez de la fantaisie et un sens artistique très développé
Vous serez au comble de la joie mais pour peu de temps.

MÉTIER

tisser sur : votre constance et votre zèle vous donneront une bonne position sociale et économique que vous aurez bien méritée.

MEUBLES

les voir porter hors de la maison : changement de vie
les voir beaux et bien cirés : vous avez un esprit ordonné et lucide
les acheter : vous acquerrez une nouvelle maison.

MICROSCOPE

s'en servir : vous êtes trop tatillon. Vous vous mettez en colère pour un rien.

MIEL

le manger : vous vivez un amour heureux
le voir : abondance et richesse.

MILLET

le voir : vous aurez une chance inespérée
le manger : pauvreté, famine, moyens modestes.

MINE

y travailler : vous faites un travail dur mais vous parviendrez à l'aisance
s'y trouver : chance et richesse
la voir : la chance sera bientôt là. Accroissement des biens
de charbon : vous épouserez un veuf riche
d'or : vous vivez dans l'abondance et le bien-être, vous réglerez de bonnes affaires.

MIROIR

s'y regarder : votre mariage sera réussi. Les enfants et la gaieté seront présents dans le cercle familial. Dans le rêve d'un malade, ce songe prédit la mort
y voir une autre image que la sienne : vous aurez des enfants illégitimes
se voir plus laid : infirmité, tristesse, mélancolie
se regarder dans l'eau : mort du rêveur ou d'un de ses amis très chers
le casser : vous n'arriverez pas à réaliser vos ambitions.

MISSIONNAIRE

le voir : on vous fera un cadeau que vous n'attendiez pas.

MITES

les voir en train de ronger des vêtements : tenez-vous sur vos gardes : des personnes hypocrites veulent vous nuire.

MIXEUR

y mettre quelque chose et l'actionner : calmez-vous, vous êtes trop agité et anxieux

le recevoir en cadeau : vous avez un ami déloyal
le casser : vous vivrez un amour heureux.

MODE

voir un défilé : quelqu'un s'éprendra de vous ; vous ferez des conquêtes.

MOINE

le voir : vous aspirez à la sérénité. La situation actuelle est désagréable
être un moine : modestie, esprit de sacrifice, vous aurez des joies petites mais vraies.

MOINEAUX

les voir : une affaire que vous aviez projetée ne se réalisera pas. Soyez plus réaliste et précis
en voir une bande : malchance, ennuis
les voir voler : on vous fera des promesses qui ne seront pas tenues
les attraper : événement inattendu
les entendre : quelqu'un cancane à votre sujet.

MOLLETS

blessés ou gonflés : soucis et pertes possibles d'ordre financier. Malchance
sains et normaux : vous franchirez avec facilité les obstacles qui se trouveront sur votre chemin
Activité intense.

MOMIE

la voir, lui parler : vous aurez de violentes et désagréables discussions que vous préféreriez éviter.

MONSTRE

le voir : qu'il soit humain ou animal, c'est de toute façon un funeste présage

Vous n'arriverez à concrétiser ni vos espoirs ni vos désirs.

MONTAGNE

y grimper : cela vous coûtera des efforts mais vous aurez une nette amélioration du point de vue financier.

MONTER

grimper sur une montagne : votre chemin est hérissé de difficultés. Néanmoins une fois que vous aurez franchi les obstacles en peinant et en payant de votre personne, vous atteindrez votre but
sur une échelle : vous atteindrez votre objectif
sur un arbre portant des fruits en abondance : richesses, plaisirs et amour viendront après quelques petites difficultés.

MONUMENT

voir le sien : vous êtes égocentrique ; vous recevrez des honneurs
le voir : vous vous préoccupez et vous vous fatiguez inutilement.

MOQUER (SE)

de quelqu'un : vous passerez des jours agréables et heureux
si quelqu'un se moque de vous : vous subirez une humiliation.

MORDRE

être mordu par quelqu'un : vous attisez la haine de quelqu'un qui cherchera à vous nuire
Maladie, il est probable que vous souffriez d'arthrite
être mordu par un animal : malheur, deuil. Prenez des précautions car quelqu'un essaie de vous tromper
mordre quelqu'un : vous êtes plein d'agressivité et vous vous sentez pris au piège par des personnes perfides
Vous aurez de la chance.

MORTS

les voir sans leur parler : joies et fortune
s'ils se montrent hostiles : ruine et tromperie
s'ils vous parlent : c'est un signe de bon augure. Suivez leurs conseils
être poursuivi par la mort personnifiée : vous ferez un mariage heureux.
(Voir aussi **Défunt**.)

MOTEUR

le voir : vous réglerez de bonnes affaires. Tout se déroulera pour le mieux dans votre travail.

MOUCHES

bourdonnantes : vous serez le sujet de bavardages et l'objet de tracasseries.

MOUCHOIR

l'utiliser : problèmes, querelles, larmes.

MOUDRE

du café : vous êtes d'un tempérament très passionnel. Aventure amoureuse
du blé : gains importants
du poivre : vous recevrez une nouvelle désagréable.

MOULIN

le voir : chance
à vent (qui marche) : le travail ne vous pèse pas
à vent (arrêté) : votre paresse vous créera bien des ennuis.

MOURIR

Vous aurez une longue vie
Un mariage est possible
voir quelqu'un mourir : vous recevrez une bonne nouvelle
de faim : vous avez peu d'amis véritables.

MOUSSE

la voir : vous êtes instable et volage dans vos relations amoureuses. Soyez plus fidèle et sincère.

MOUSTACHES

les avoir longues et fournies : vous aurez beaucoup de chance
arrachées ou coupées : le rêveur subira un préjudice tandis que celui qui les coupe ou les arrache sera favorisé par la chance.

MOUSTIQUE

l'être : vous êtes une personne ennuyeuse, essayez de changer
le voir et être piqué : méfiez-vous car on veut vous tromper.

MOUTONS

en voir un : vos affaires seront plus calmes. Vous aurez des difficultés financières
voir un troupeau au pâturage : votre situation actuelle est satisfaisante. Abondance, sécurité
les voir noirs : vous avcz un ami malveillant
Tristesse
les voir blancs : vous avez des amis sincères
Chance.

MUGUET

le recevoir ou le voir : vous recevrez un cadeau de la personne aimée.

MULET

le voir : vous aurez des problèmes d'ordre financier
le chevaucher : vous arriverez à conclure une affaire mais pour cela il vous faudra du temps et bien des efforts
Voyage ennuyeux
chargé : chance. Vous recevrez de nombreux cadeaux.

MUR

le voir : vous devez franchir un gros obstacle et vous n'avez aucun espoir d'y parvenir
y grimper : vous arriverez à vaincre un obstacle qui vous semblait infranchissable.

MURES

les manger à peine cueillies : plaisirs à profusion
Vous aimez faire la coquette, séduire, vous êtes pleine de charme.

MUSELIÈRE

la mettre : vous rendrez inoffensif un ennemi médisant
l'avoir : l'inclination que vous avez à médire pourrait vous nuire.

MUSIQUE

l'entendre ou la jouer : aisance. Vous serez consolé dans un moment de tristesse.

N

NAGER

ne pas savoir nager et risquer de mourir : disgrâce
sauver quelqu'un en train de se noyer : grandes joies, chance dans tous les domaines
nager dans peu d'eau : vous traversez un moment pénible.
(Voir aussi **Eau.**)

NAIN

le voir : gardez-vous de personnes déloyales et sournoises
l'être : vous jouirez d'une bonne santé.

NAISSANCE

voir la sienne : chance et joies vous seront destinées
voir naître un ami qui est malade pour le moment : son état empirera
voir naître quelqu'un : bonheur et joies familiales.

NARCISSE

le voir : quelqu'un vous sera infidèle.

NARCOTIQUES

les prendre : vous tomberez malade
Vous aurez de petits ennuis.

NAUFRAGE

faire naufrage : angoisses et péril vous attendent mais le hasard vous permettra de résoudre la situation à votre avantage.

NAVIRE

voyager sur une mer calme : chance, joie
voyager sur une mer agitée : tristesse, problèmes
le voir sur la terre ferme : grosses difficultés matérielles
le voir construire : vous vivez un amour passager
le voir couler : vous apprendrez une mauvaise nouvelle
le voir brûler : grosse perte financière
ancré dans un port ou en mer : ne cédez pas. Gardez votre point de vue.

NEIGE

voir neiger : vous devrez reporter un voyage
Vos affaires seront plus calmes
Ajournez ce que vous aviez programmé depuis longtemps.
Ce n'est pas encore le moment d'agir
être enseveli et réussir à s'en sortir : vous aurez provisoirement des difficultés financières.

NETTOYER

quelque chose : vous êtes tatillon. Vous désirez clarifier votre situation
être propre : vous avez un complexe d'infériorité, vous n'êtes pas très sûr de vous.

NEZ

avoir un grand nez : chance, bonheur et acuité d'esprit
être sans nez : vous éprouverez des sentiments étranges et anormaux. Haine
Dans le rêve d'un malade : aggravation de la maladie
avoir deux nez : vous vous disputerez avec des amis qui vous sont chers.

NICHE

la voir : quelqu'un essaie de vous tromper
s'y trouver : vous aurez une aventure sentimentale qui vous comblera. Bonheur.

NID

voir un nid de serpents : vous êtes inquiet et peiné. Vous ferez une triste expérience
rempli d'œufs : prospérité et richesse
voir un nid vide sur un arbre : douloureuse séparation
Si vous n'êtes pas encore marié, vous formerez vite une famille
d'oiseaux : vous vous réjouirez beaucoup
de guêpes : vous subirez une perte.

NOËL

le fêter : vous participerez à une fête joyeuse
le voir : vous aurez d'importantes rentrées d'argent.

NŒUD

le faire : vous réussirez une affaire malgré de grosses difficultés
le porter : vous avez l'art de compliquer les choses les plus faciles ; soyez plus simple.

NŒUDS

les faire : vous vous trouvez dans une situation embrouillée et compliquée
les défaire : vous toucherez de l'argent
Amélioration en ce qui concerne votre profession.

NOIR

s'y trouver et dans des lieux inconnus : vous n'avez rien à craindre car bientôt vous aurez de bonnes nouvelles au sujet de votre travail.

NOIX

les manger : vous serez troublé ; vous vous disputerez ; vous aurez du chagrin

les casser : dispute passagère avec la personne que vous aimez
les voir : préoccupations
les cueillir : vous aurez des ennuis passagers.

NOMBRES

les voir : jouez les numéros que vous avez rêvés. Vous aurez de la chance
les écrire : vous êtes surchargé de travail
les effacer : vous n'êtes pas sincère avec vous-même.

NOMBRIL

le voir ou le toucher : quelque chose de désagréable vous arrivera. Vous manquez de dynamisme, en outre vous êtes influençable, tout cela n'est pas très bon pour votre travail.

NOTES **(de musique)**

les voir : un de vos désirs sera satisfait
les chanter ou les jouer : vous ferez une expérience agréable.

NOUER

un mouchoir : vous recevrez un héritage attendu depuis longtemps
une cravate : vous gagnerez à la loterie et vous dépenserez immédiatement cet argent.

NOURRICE

(Voir **Nurse.**)

NOURRITURE

rêver de manger quelque chose : grand changement de situation pour vous
la refuser : brève maladie.

NOUVEAU-NÉ

le voir : vous serez comblé de joies en famille
Changement en vue.

NOUVELLE

la recevoir : vous apprendrez une bonne nouvelle.

NOYER

se voir en train de se noyer : attention, danger de mort
assister à la noyade d'un ami ou d'un être cher : il vous faudra fournir une aide financière à quelqu'un
se noyer lentement : problèmes avec la justice. Chômage en vue.

NU

se voir soi-même : votre situation économique est précaire
Vous subirez un affront
Vous souffrez d'un gros complexe d'infériorité
voir d'autres personnes nues : bonheur et joies
marcher tout nu : vous avez de nettes tendances à l'exhibitionnisme. Vous êtes loyal et sincère.

NUAGES

grands et blancs : prospérité, chance
noirs et chargés d'orage : échec et mélancolie
s'ils bougent de bas en haut : vous ferez un voyage réussi
brillants : c'est un présage de mauvais augure annonçant un malheur.

NUIT

claire où l'on peut distinguer le contour des maisons : vous aurez du succès en amour et dans les affaires
sombre, sans lune : vous serez malheureux
illuminée d'une façon insolite par la lune et les étoiles : votre mariage sera particulièrement heureux.

NURSE

la voir : vous vous sentirez calme et relaxé.

OASIS

la voir, s'y trouver : au bout de bien des peines vous trouverez le repos et la joie, mais ne vous reposez pas sur vos lauriers.

OBÉIR

à quelqu'un : vous devrez peiner avant d'avoir ce que vous désirez
Soyez prudent et évitez les fausses manœuvres.

OBÉLISQUE

le voir : on vous proposera une affaire avantageuse.

OBSCURITÉ

(Voir **Noir**.)

OBSERVATOIRE

s'y trouver, le voir : vous serez mis au courant d'un secret.

OCÉAN

le voir : vous ferez un très long voyage. Il vous faudra vaincre des difficultés ; résistez, à la fin vous serez victorieux et heureux.

ŒILLETS

les voir : vous possédez une nature passionnelle
les cueillir : vous participerez à une fête amusante.

ŒUFS

en voir un panier : abondance, aisance familiale. Vous réaliserez un désir secret
voir un panier d'œufs cassés : disputes en famille
les manger : légers avantages mais de nouveaux et graves problèmes à résoudre.

OFFENSE

la subir : vous avez des remords pour quelque chose
la faire : même si c'est à contrecœur vous apporterez de l'aide à quelqu'un.

OFFICIER

l'être : vous recherchez en vain honneurs et gratitudes
le voir, lui parler : chance, avancement.

OFFRE

la faire : un de vos projets restera à l'état d'ébauche
la recevoir : vous avez de nouveaux projets pour le futur et vous arriverez à les réaliser.

OIES

les voir voler : gains importants
les tuer, les manger : des moments agréables vous attendent
les acheter : quelqu'un se moquera de vous

OIGNON

le voir, le manger, le couper : malchance et situation très désagréable. Il est possible qu'il vous arrive un petit malheur.

OISEAUX

les voir voler : plus haut volent les oiseaux, plus élevés seront vos bénéfices
les voir enfermés dans une cage : vous faites des efforts inutiles
les prendre : gain
les tuer, les voir morts : vous subirez une perte d'ordre économique
les nourrir : vous êtes sociable et vous avez beaucoup d'amis
Gaieté et chance
aquatiques : attention ! un danger vous menace
nocturnes, les voir : vos affaires seront plus calmes
Pertes financières.

OLIVES

sur l'arbre : vous gaspillerez beaucoup d'argent
les cueillir : vous êtes peu raisonnable
les manger : discorde en famille
les ramasser par terre : gros problèmes dans votre travail.

OLIVIER

le voir : chance, amitiés fidèles et de longue durée.

OMBRE

se trouver à l'ombre d'une plante : un personnage très influent vous tendra la main
voir la sienne : vous serez très effrayé
voir l'ombre d'autres personnes : vous n'avez rien à craindre car il ne vous arrivera rien de désagréable.

ONGLES

les avoir longs : en cas de difficulté vous savez comment vous défendre
courts : tristesse et faiblesse
cassés : problèmes
les perdre, les couper : disputes familiales.

ONGUENT

le boire : maladie
l'utiliser : vos activités iront plus doucement
le faire cuire : misère, pauvreté.

OPALE

Vous êtes une personne pleine de bon sens et de sagesse. Ces vertus vous rendront populaires.

OPIUM

le fumer, le voir fumer : la chance ne vous tombera pas du ciel. C'est vous qui devez aller à sa recherche et la saisir. Ne soyez pas aussi indifférent. C'est le moment de retrousser vos manches et de travailler dur.

OR

le trouver : vous perdrez de l'argent
le manier : vous avcz perdu une bonne occasion.

ORAGE

s'y trouver : vous subirez une offense
Il vaudrait mieux renvoyer un voyage qui pourrait se révéler dangereux.

ORANGES

les voir dans un panier : une de vos connaissances mourra
en manger des douces et des juteuses : vos espoirs seront satisfaits et votre supérieur vous gratifiera
les voir sur l'arbre : problèmes affectifs
en acheter : vous aimez et vos sentiments sont partagés.

ORCHESTRE

l'entendre, le voir : vous avez le cœur plein de joie et de sérénité
Gaieté.

ORDRES

en donner : vous êtes trop autoritaire. Votre comportement vous rendra antipathique
en recevoir : vous avez un emploi subalterne.

OREILLES

en avoir plusieurs : votre femme et vos enfants vous respecteront et suivront vos conseils
les perdre : malheurs
les nettoyer : vous recevrez une bonne nouvelle
si des fourmis y pénètrent : maladie grave ; mort
avoir des oreilles d'âne : vous vivrez une période de misère et de pauvreté
avoir les yeux à la place des oreilles : vous perdrez la vue.

ORGANES GÉNITAUX

les voir : plaisir
Naissance d'une fille.

ORGE

en voir ou en manger : bonne santé et prospérité.

ORGUE

en jouer : vous apprendrez une bonne nouvelle
l'entendre, le voir : chance, joie, fêtes.

ORME

le voir : votre vie sera sereine et heureuse.

ORPHELIN

le voir : vous aiderez une personne qui en a besoin
l'être : vous vous sentez abandonné de tout le monde. Mélancolie et tristesse. Pensez davantage à autrui et vous verrez que votre situation s'améliorera.

ORTIES

les voir, les cueillir, s'asseoir dedans : malchance provenant de votre caractère trop impulsif. Réfléchissez un peu plus à ce que vous devez faire.

OS

les voir entassés : mésaventures, angoisses
les ronger avec plaisir : misère imminente. Soyez plus concret et travailleur.

OURAGAN

le voir : grosse querelle de famille. Vous traversez une période de crise et d'incompréhension.

OURS

polaire : vous aimez et vous êtes aimé
Vous attachez beaucoup d'importance au sexe
être arrêté par un ours : vous faites preuve de froideur et d'inconstance envers votre femme ; elle pourrait vous abandonner
le voir : chance
en être assailli : vous êtes persécuté.

OUVRIER

l'être : bon travail, gains
Vous vous trouvez dans une période de changement
les voir : comptez seulement sur vos forces et n'espérez l'aide de personne
les voir fuir : vous vous trouverez sur les lieux d'une catastrophe naturelle.

P

PAILLE

y être allongé : vous aurez affaire avec la justice (prison ?)
Chance
la porter sur les épaules : abondance, joie
la voir brûler : perte d'argent
Vous vivrez un amour malchanceux et sans espoir.

PAIN

le manger blanc et frais : ce moment difficile sera bientôt passé ; la chance vous sourira
le manger sec : vous aurez des problèmes et des ennuis à surmonter
Injustice
chaud : vous aurez des problèmes de santé : surveillez-vous
le cuire, le voir cuire : une de vos entreprises sera couronnée de succès
le rompre : vous êtes entouré de personnes fausses et déloyales.

PANTALON

le voir : dans le rêve d'une femme : vous vous marierez dans l'année ; dans le rêve d'un homme : tranquillité économique, bonne santé, abondance

N'oubliez pas de régler un compte resté en suspens
le perdre : votre conjoint est plus autoritaire que vous
l'arranger : vous aurez des problèmes d'ordre financier
l'enlever : contrôlez votre état de santé, maladie bénigne
déchiré : vous aiderez quelqu'un qui se trouve en difficulté.

PANTHÈRE

la voir : tristesse, infirmité, désespoir. Une personne amie vous aidera dans ce moment dramatique.

PANTOUFLES

les voir, les posséder : confort, tranquillité familiale
les acheter : c'est votre conjoint qui commande à la maison
marcher en pantoufles : tranquillité, sérénité d'esprit.

PAPE

le voir : vous êtes en danger
le voir bénir : Dieu vous accordera sa grâce
Chance.

PAPIER

carte géographique : vous ferez un long voyage
le voir : vous aurez des problèmes judiciaires
le voir voler : grande déception
fabrique de papier : vous êtes préparé et sûr de vous
le couper : vous divorcerez ou sous serez séparé de la personne que vous aimez
le déchirer : vous avez un caractère trop impulsif; agissez plus calmement
imprimé : vous recevrez des marques de gratitude et des honneurs.

PAPIERS

les montrer : vous aurez affaire avec la justice.

PAPILLON

le poursuivre et le capturer : vous tomberez soudainement amoureux mais cela ne durera pas. Soyez plus constant.

PAQUES

voir ce jour, le fêter : vous devrez faire des sacrifices et supporter des peines.

PAQUET

le recevoir : vous aurez d'agréables nouvelles
Le travail est tout particulièrement favorisé
l'expédier : vous aurez une agréable surprise.

PARACHUTE

le voir, s'en servir : vous êtes indécis et taciturne
Votre santé est précaire.

PARADIS

y être : vous goûterez des plaisirs extatiques mais éphémères
Vous serez à l'abri des dangers.

PARALYSIE

en être frappé : stagnation de vos affaires
Vous avez subi un choc et il faut vous reprendre dans un climat de tranquillité et de détente totale
voir un paralytique : vous aurez beaucoup de chance dans les affaires
Vous annulerez l'influence de dangereux adversaires.

PARAPLUIE

ouvert : vous avez un ami fidèle qui vous offrira son aide en cas de besoin
cassé : quelqu'un vous décevra en se montrant opportuniste et déloyal
ombrelle : vous êtes favorisé et protégé par le sort.

PARAVENT

le voir : même si la vérité vous est cachée pour le moment, vous ne tarderez pas à l'apprendre.

PARC

le voir : vous possédez un caractère mélancolique
s'y promener : vous êtes serein. Vous savez goûter aux petites joies de la vie
Agréables expériences, tranquillité.

PARDESSUS

le voir : prémunissez-vous contre un danger éventuel ; tenez-vous à l'abri
le porter : maladie bénigne
l'enlever : vous cachez très bien vos mauvais côtés.

PARDONNER

à quelqu'un : peines, angoisses et peur vous guettent
obtenir le pardon : vous êtes toujours insatisfait. Contentez-vous de ce que vous avez.

PARFUM

le sentir : on veut vous tromper
Ne vous laissez pas tenter par des activités qui peuvent vous attirer mais qui vous créeront pas mal de problèmes.

PARENTS

voir les siens : quelqu'un vous aidera dans le malheur
les voir morts (ses propres parents ou des proches) : chance, protection
Vous aurez une grande joie
les voir mourir : ils auront une longue vie
Chance
les voir malades : héritage, grand malheur
Gros problèmes à venir
leur parler : vous aurez de la chance dans votre travail.

PARI

le faire : ne courez pas de risques inutiles
le perdre : vous perdrez une grosse somme d'argent
le gagner : gain inattendu, richesse.

PARLER

avec quelqu'un : vous êtes aimé et respecté
à haute voix : vous n'avez la considération de personne et cela vous fait de la peine
entendre parler : vous serez invité à une fête
avec des animaux : vous êtes préoccupé et triste.

PARTIR

se voir partir : vous désirez sortir de l'anonymat, mais en vain. Vous êtes peureux et fuyez devant le danger
Vous aurez bien des déceptions et des chagrins si vous ne changez pas de caractère
en bateau : vous aurez des problèmes avec une femme
en avion : vous vivrez solitaire pendant quelque temps.

PASSEPORT

le voir : vous ferez un voyage à l'improviste.

PATE

la travailler : petits problèmes
la manger : abondance, aisance
la cuire : vous entendrez des commérages.

PATINER

se voir en train de patiner : les gains seront faciles et la chance vous accompagnera dans votre profession
voir quelqu'un : stagnation dans votre travail.

PATURAGE

le voir beau et riche : chance et abondance
alpin : vous devrez affronter bien des difficultés
avec du bétail : votre avenir sera prospère.

PAUME

la voir : vous connaîtrez honneurs et gratitudes.

PAIE

la toucher : votre situation financière n'est guère florissante, vous subirez de grosses pertes d'argent
la donner : prospérité, abondance.

PAYS, PAYSAGE

revoir son pays natal : vous avez la nostalgie du passé. Vous avez tendance à oublier le présent qui est prêt pourtant à vous offrir de grandes satisfactions
voir un paysage : vous arriverez à résoudre et à conclure une affaire en attente depuis longtemps
voir un pays désert : période de malchance. Vous aurez beaucoup d'ennuis.

PAYSAN

l'être : richesse et abondance
Vous attachez trop d'importance à la culture et aux intellectuels et cela vous empêche de goûter aux plaisirs simples de la vie.

PEAU

voir la sienne : votre jalousie pourrait détruire un lien sentimental très fort
la voir belle et lisse : vous êtes très aimé
la voir ridée et vilaine : vous aurez une longue vie
la voir foncée : vous serez trahi.

PÊCHER

voir quelqu'un : trahison. Quelqu'un sera déloyal avec vous
voir de petits poissons : vous aurez une réussite professionnelle modeste
voir au bout de la ligne des poissons étranges et inconnus :

vous êtes méfiant et astucieux. Vous voulez tromper une personne qui vous est proche
voir quelqu'un pêcher à la ligne : vous serez trompé par quelqu'un que vous considériez comme ami.

PEIGNER

soi-même : vous arriverez à résoudre un très gros problème
se nouer les cheveux : dans le rêve d'une femme : vous aurez une grande joie ; dans le rêve d'un homme : vous aurez bientôt des difficultés financières
être peigné : vous serez très sévèrement jugé.

PEINDRE

un tableau : vous êtes sûr de vous, vous savez vous décider et à l'occasion vous engager
quelque chose en couleurs : voir en début d'ouvrage : « ... Si vous avez rêvé en couleurs... ».

PEINTRE

le voir : persévérez dans votre travail et la chance vous sourira
l'être : vous appréciez le confort et l'aisance.

PÈLERINAGE

le faire : changement de maison ou de pays
le voir : vous satisferez un de vos désirs ardents.

PELLE

la voir : vous devrez faire un travail très dur
s'en servir : vous parviendrez au succès et à la richesse après avoir vaincu beaucoup d'obstacles.

PENDRE

se voir pendu : vous aurez une agréable surprise. Vous recevrez des honneurs

voir des pendus : quelqu'un autour de vous a un besoin urgent d'argent
en général : ce songe indique un changement radical de vie.

PENTE

y tomber : vous pourriez vous trouver dans une situation dangereuse pour une raison futile, soyez plus prudent
rocheuse : vous aurez un chagrin et beaucoup de problèmes à résoudre
avec de la mousse : votre vie est heureuse. Vous serez tranquille et gai.

PERCEPTEUR

le voir : vous recevrez la visite d'une personne très antipathique.

PERCER

l'être (avec une fraise ou un objet pointu) : quelqu'un médit de vous
Vous êtes insatisfait sexuellement
quelque chose : vous bavardez trop et vous vous occupez souvent de choses qui ne vous regardent pas.

PERDRE

quelque chose : un effort que vous ferez se révélera inutile
des vêtements de dessous : vous aurez honte. Quelqu'un dira des choses embarrassantes sur vous.

PÈRE

voir votre père mort : une personne que vous ne voyez plus depuis longtemps vous aidera dans une situation délicate
le voir particulièrement autoritaire : vous subirez un affront de la part de personnes qui vous sont proches
malade : soyez prudent, le moment n'est pas très favorable
devenir père : votre mariage sera heureux.

PERLES

les voir : vous êtes triste. Vous avez subi une grande déception amoureuse, mais bientôt vous vous consolerez
les perdre : vous aurez beaucoup de succès
les recevoir : chagrins, tristesses.

PERMISSION

l'obtenir : vous arriverez à porter à terme une entreprise qui semblait vouée à l'échec
la donner : problème dans le domaine professionnel.

PERROQUET

le voir, l'entendre parler : quelqu'un parle mal de vous. Vous êtes entouré de gens hypocrites
le nourrir : vous épouserez une personne bavarde et médisante.

PERRUQUE

la porter : malchance.

PESER

quelque chose : vous êtes une personne réfléchie, mais votre esprit trop tatillon pourrait vous porter préjudice et vous faire perdre une occasion favorable et très importante pour vous.

PETIT-FILS

le voir : vous aurez des joies inattendues.

PETIT GARÇON

redevenir petit garçon : vous vous trouvez dans une situation désagréable du point de vue sentimental et vous désirez vous en sortir. Ne vous laissez pas aller, c'est à vous de faire le premier pas si vous voulez y arriver.

PETITE FILLE

voir une petite fille : si elle est belle, vous dépenserez des sommes folles

l'embrasser : une très plaisante surprise vous attend
si elle pleure : votre femme vous trompe
si elle danse : votre amour est heureux à tous points de vue.

PEUR

avoir peur : contrôlez votre santé, vous avez des problèmes de circulation
C'est un songe de mauvais augure.

PHARE

le voir : même si pour le moment la situation n'est pas facile, vous trouverez d'ici peu la solution de vos problèmes et de vos préoccupations.

PHARMACIE

la voir : vous vous ennuierez fort lors d'une réunion d'amis. Changez de milieu.

PHOTOGRAPHIER

quelqu'un : vous vivez un grand amour. Ne soyez pas trop tatillon car vous gâcheriez tout
se faire photographier : soyez sincère avec vous-même, cela ne sert à rien de vous leurrer.

PHTISIE

(Voir **Tuberculose**.)

PIANO

jouer du piano : vous nourrissez beaucoup d'espoirs pour le futur ; vous ne serez pas déçu car vous serez heureux et vous aurez de la chance
entendre quelqu'un en jouer : quelqu'un vous mettra des bâtons dans les roues au sujet d'une affaire importante.

PIE

la voir voler : c'est un triste présage.

PIÈCES

les dépenser : vous aurez des ennuis
fausses : on vous a vulgairement escroqué
d'or : richesse, prospérité
d'argent : gain
de cuivre : pertes, chagrins.

PIEDS

en avoir un malade : début et programmation d'une affaire très fructueuse
les avoir sales : vous aurez des chagrins et des problèmes familiaux
les avoir amputés : on vous fera du tort.

PIERRE

la voir sur son chemin : vous devrez vaincre des obstacles
milliaire : vous ferez votre testament
précieuse : si vous la recevez : vous portez un jugement arbitraire sur une situation ; si vous la perdez : vous serez volé
avoir beaucoup de pierres précieuses : gratitudes et honneurs vous seront décernés, mais faites attention car vous serez tenté par quelque chose qu'il vaudrait mieux que vous ne fassiez pas
la jeter à quelqu'un : vous outragerez quelqu'un
en être frappé : vous serez outragé
Fuite.

PIGEONS

les voir roucouler : vous aurez beaucoup de chance en amour
les voir voler : contentement, joie, plénitude
les attraper : vous aurez des ennuis
les tuer, les manger : vous aurez un grand chagrin.

PILOTE

l'être : la nature vous a doté de force d'âme et d'optimisme

le voir : un changement se produira dans votre situation affective ou financière.

PILULES

les prendre : vous aurez une aventure agréable et heureuse
les donner à quelqu'un : vous êtes en train de comploter contre une personne sans défense.

PIOCHE

l'utiliser : vous vous trouvez dans une situation dangereuse. Ne faites rien d'illicite, cela vous nuirait énormément.

PIPE

s'en servir : gaieté, petits plaisirs
la casser : chagrin.

PIRATES

l'être : méfiez-vous de faux amis
les voir : vous perdrez beaucoup d'argent dans de mauvaises affaires.

PISTOLET

le manier : vous prendrez position à l'égard d'une connaissance
tirer : succès dans le domaine affectif
Vous êtes très passionnel
Aventure
le voir : vous éprouverez de la colère et des rancœurs inutiles.

PLACE

la voir : mauvaise humeur, ennuis
si elle est vide : vous devrez surmonter un obstacle. Si vous occupez une position importante, vos affaires seront ralenties. Si vous avez un emploi modeste, vous aurez une amélioration sur le plan financier.

PLAFOND

le voir s'écrouler : vous courez un grave danger
le voir : des personnes déloyales et envieuses tenteront de vous nuire.

PLAGE

la voir : un de vos désirs se réalisera.
(Voir aussi **Sable.**)

PLAINE

la voir : vous n'aurez aucun mal à vaincre les obstacles
y habiter : vous mènerez une vie heureuse, sans souci
Vous êtes paresseux.

PLAINTE

la recevoir : conflit avec la famille de votre fiancé(e)
l'adresser : vous manquez souvent de mesures
Ne vous créez pas de problèmes inutiles et vous serez serein.

PLAISANTERIE

en être la victime : tristesse
Vous avez peu d'amis
la faire : gaieté, sociabilité.

PLAISIR

éprouver un grand plaisir : vous serez lésé et outragé.

PLANTES

se trouver à l'ombre : tranquillité en ce qui concerne votre travail, mais situation modeste
les arroser, les planter : vous ferez un mariage riche et heureux.

PLATANES

les voir : dans le rêve d'une personne qui travaille le bois : chance

Dans le rêve de n'importe qui d'autre : misère, famine, malchance.

PLATEAU

l'utiliser, le voir : vous recevrez un cadeau.

PLATRE

le voir : vous êtes criblé de dettes.

PLEURER

un mort ou pour une raison très grave : une importante réussite sera pour vous source de gaieté et de satisfaction
pour un rien : vous éprouverez de la tristesse et une vraie douleur
voir quelqu'un pleurer : vous ferez du tort à une personne qui vous est très chère
de joie : une période de tranquillité exempte de préoccupations et d'angoisses vous attend.

PLONGER (SE)

dans l'eau : voir **Eau**
sous l'eau : un de vos ennemis vous rendra inoffensif.

PLUIE

fine : gains insuffisants
qui tombe à verse : il vous faudra surmonter des ennuis, des difficultés et des soucis
diluvienne : gros problèmes et douleurs. Risque d'accident
avec du soleil : amélioration de votre situation
la voir : si vous êtes sur le point de partir, renvoyez votre voyage à plus tard.

PLUMEAU

le voir, s'en servir : vous n'êtes pas assez sérieux dans les affaires et cela vous fait du tort
sale : cela reflète le grand désordre de votre pensée. Ayez un esprit plus rationnel.

PLUMES

les voir ou écrire avec : vous recevrez bientôt une bonne nouvelle
les voir suspendues dans l'air : vous arriverez à votre objectif.

POCHE

trouée : vous aurez de très légères pertes d'argent
la voir : vous voulez garder jalousement un secret qui vous appartient.

POÊLE (un)

chaud, s'y réchauffer : vous êtes destiné à de grands succès et à une situation sociale enviable
l'acheter : vous aurez une vieillesse sereine et sans souci
s'y brûler : vous perdrez confiance en vous
le faire chauffer, l'allumer : l'harmonie familiale règne de nouveau.

POÊLE (une)

la voir, s'en servir : vous manquez bien souvent de tact et de diplomatie avec votre entourage.

POÈTE

l'être : vous rêvez trop souvent les yeux grands ouverts ; vous risquez ainsi de ne pas voir la réalité
Vous vous sentez incompris.

POIGNARD

s'en servir : vous êtes violent
Vous aurez le dernier mot dans une dispute
en être blessé : satisfaction, aventure, cadeau imprévu.

POING

donner un coup de poing : torts et maladies. Période de malchance

assister à une rencontre de boxe : vous serez mêlé à une querelle.

POIRES

en manger : la chance vous sourira
voir un arbre ployant sous les poires : vous devrez affronter des discussions avec une femme
avec des vers : quelqu'un veut vous tromper
secouer l'arbre pour en faire tomber les poires : la chance vous sourira.

POIS

secs : vous vous marierez bientôt
verts : aventure sensuelle
les manger : vous aurez des ennuis. Vous serez importuné par une personne superficielle et ennuyeuse
les planter : chance dans la famille
les cueillir : chance dans votre travail mais aggravation des préoccupations.

POISON

être empoisonné : maladie grave
empoisonner quelqu'un : vous voulez triompher d'un ennemi en vous servant de moyens illicites
Tristesse et malchance.

POISSON

le tenir dans la main : vous laisserez échapper une occasion favorable
petit : vous aurez un ennui
grand : vous réglerez une affaire importante
mort : quelqu'un médit perfidement de vous
en voir plusieurs : un de vos amis tombera malade ou mourra
multicolore : ennuis, peines, maladies
en manger : chance, richesse
le voir dans son lit : maladie, malchance.

POITRINE (d'homme)

belle : vous serez très favorisé dans le domaine sentimental
blessée : vous avez des amis loyaux.

POMMADE

s'en mettre : vous êtes superficiel, vous vous souciez trop des apparences
la mettre à quelqu'un : vous désirez gagner l'amitié de quelqu'un.

POMMES

manger des pommes mûres et savoureuses : bonne santé, bien-être et bonheur en amour
manger des pommes pas mûres : querelles et ressentiments
les voir sur les arbres : vous avez beaucoup d'amis sincères
les cueillir : grande joie
pourries : attention ! un danger vous menace. Ennuis
les peler : vous serez déçu de ne pouvoir satisfaire un de vos plus grands désirs
les couper : séparation d'avec quelqu'un ou perte de quelque chose qui vous était très cher.

POMMES DE TERRE

les manger : maladie bénigne, contrôlez plus souvent votre santé
les peler : vous vous débarrasserez de personnes hypocrites et déloyales
les cuire : vous recevrez une visite désagréable.

POMPE

s'en servir : un ami profite de vous
Vous êtes en train de faire un travail pénible et ennuyeux

anti-incendie : vous perdrez une excellente occasion
en être arrosé : vous aurez une agréable surprise.

PONT

le traverser : vous résoudrez un problème juridique si vous cessez de tergiverser. Soyez plus décidé et optimiste
se trouver sur un pont suspendu au-dessus d'une gorge profonde et penser tomber : la situation est grave et vous risquez de ne pas vous en sortir à cause de votre timidité et de votre faiblesse
Soyez plus combatif, vous gagnerez.

PORC

en voir un troupeau : vous êtes paresseux et indécis devant les difficultés
Vous aimez la vie et les gens, mais vous êtes incapable d'extérioriser vos sentiments. Si vous ne modifiez pas votre caractère, vous vous retrouverez seul.

PORCELAINE

la casser : vous manquez d'assurance et vous êtes peureux. Si vous ne changez pas, votre situation empirera
la posséder : aisance, bien-être
la voir en équilibre instable : votre situation est précaire. Il ne dépend que de vous pour vous en sortir
l'acheter : vous fonderez bientôt votre propre famille. Mariage.

PORT

y être ou aborder : vous recevrez une bonne nouvelle
Vous apprendrez un secret.

PORTE

se trouver devant une porte fermée : ralentissement momentané en ce qui concerne votre travail. Si vous vous refusez à moderniser les techniques et les méthodes, votre situation empirera
la voir ouverte : une activité que vous avez entreprise

depuis peu se révélera très fructueuse et sous de bons auspices
être mis à la porte : quelqu'un se conduira mal avec vous.

PORTE-MONNAIE

le voir : quelqu'un vous révélera un secret que vous désiriez connaître depuis longtemps
le fermer : vous êtes réservé
l'ouvrir : vous désirez partager vos idées avec les autres.

PORTEUR

le voir : vous aurez de gros ennuis mais une personne amie vous aidera à en sortir.

PORTRAIT

le voir pendu au mur : la personne représentée vivra longtemps
Le début d'un nouvel amour est possible
voir le sien : la satisfaction d'avoir réussi et l'air supérieur que vous prenez suscite bon nombre d'antipathies. Vous pourriez vous retrouver seul.

POTAGER

fleuri et soigné : un ennemi puissant essaie de nuire à vos initiatives professionnelles. Malchance, mais vous pouvez tenter de l'éviter en y mettant du vôtre.

POUDRE

poudre à munitions : ce rêve prédit un grave danger. Guerre
Vous vous sentez impuissant devant une situation que vous jugez au-dessus de vos possibilités. Soyez plus énergique et combatif.

POULAILLER

s'y trouver : des médisances sur votre compte pourront troubler l'atmosphère familiale

se trouver dans un poulailler au milieu de poules (qui volent à petits coups d'ailes et caquettent d'une manière anormale) : vous êtes trop impulsif et vous pourriez commettre des actes répréhensibles.

POULAIN

le voir : bonheur, joie
le voir sauter : une période de chance et de gaieté vous attend.

POULE

blanche : fécondité
de couleur : vous avez une fausse amie
qui gratte le sol de la cour : vous aurez une vie aisée.

POUMON

le manger : surveillez votre santé. Maladie bénigne
le voir blessé : un grave danger vous menace.

POUPE

être à la poupe : vous recevrez un cadeau apprécié
Quelqu'un vous aime.

POUPÉE

jouer avec : vous allez goûter un plaisir éphémère
la voir cassée : vous perdrez de l'argent.

POURBOIRE

le donner : vous perdrez de l'argent
le recevoir : vous aurez des rentrées d'argent modestes mais certaines.

POURSUIVRE

quelqu'un ou quelque chose : vous êtes insatisfait de votre sort et vous vous fixez toujours des buts impossibles à atteindre. Soyez plus réaliste.

POUSSIÈRE

la voir chez soi ou sur ses habits : dispute, mécontentement, incompréhension
la voir sur soi : vous êtes tenace et constant, vous arriverez à réaliser vos projets.

POUX

les trouver sur soi et les tuer : mélancolie et problèmes touchent à leur terme
se les enlever : vous avez de grandes chances de résoudre vos problèmes
se réveiller avec le souvenir de ne pas s'en être débarrassé : vous serez toujours esclave de vos problèmes et de votre mélancolie.

PRÉ

se trouver dans un pré parsemé de petites fleurs : vous aurez des gains modestes
y être allongé : vous aurez une vie agréable
marcher sur un pré vert : vous avez d'excellentes perspectives.

PRÉCIPITER

dans un ravin : vous avez des sautes de tension. Faites-vous surveiller par un médecin
Vous êtes entouré de personnes hypocrites.

PRÊTER

quelque chose : vous recevrez quelque chose que vous désiriez depuis longtemps.

PRÊTRE

le voir : gratitude et honneurs vous attendent
le voir se promener en face de chez soi : vous parviendrez bientôt à une haute position sociale.

PRIER

se voir en train de prier : joies et chance

Vous n'aurez aucune difficulté à surmonter de petits obstacles
Sérénité spirituelle
voir quelqu'un prier : il vous faudra payer de votre personne pour vaincre les obstacles et les problèmes qui se présenteront
porter des fleurs ou allumer des cierges dans une église : il vous faudra résoudre de petits problèmes, mais votre avenir s'annonce sous d'heureux auspices.

PRINCE

le voir : vous recevrez des marques de gratitude
parler avec lui : vous avez une situation enviable et enviée
le voir à cheval : si vous ne mettez pas un frein à vos dépenses, vous serez bientôt sans ressources.

PRINTEMPS

le voir, voir de nouvelles fleurs ou des boutons : de nouvelles joies vous attendent dans le domaine sentimental
Renouveau d'énergie.

PRISON

y être : même si vous avez du mal, vous réussirez à surmonter les difficultés dans vos affaires
Vous avez des remords pour une action que vous n'auriez pas dû commettre ; cela ne sert à rien puisqu'il est trop tard
Vous pourriez commettre une grave erreur
en sortir : vous triompherez dans une entreprise à peine commencée
Si vous êtes malade, vous guérirez vite
y aller : joies et bonheur
s'y trouver attaché ou enchaîné : vous vous sentez faible et impuissant. Vous devez affronter avec plus de décision les situations difficiles

être tenu prisonnier : maladie
Ralentissement dans vos affaires
Dans le rêve d'un malade : guérison rapide.

PROCÈS

y assister en tant que juge : vous retrouverez un ami que vous aviez perdu de vue depuis longtemps
y assister en tant qu'accusé : dans le rêve d'une femmc : changement d'état civil ; dans le rêve d'un homme : perte de biens
le gagner : vous remporterez un succès bien mérité après de nombreux efforts.

PROCESSION

la voir, la suivre : vous avez réussi à éviter un grave danger.

PROJECTILE

en général : malchance, dangers, ennuis
en être atteint : maladie
le voir entrer dans sa maison : vous courez un grave danger
le manier : problèmes et ennuis.

PROJET

le faire ou en être mis au courant : vous arriverez à réaliser un projet récent.

PROMENER (SE)

se voir soi-même : chance, joie et richesse
en barque : agréable surprise
voir quelqu'un : héritage.

PROMETTRE

avoir la promesse de quelqu'un : quelqu'un veut vous tromper

quelque chose à quelqu'un : vous avez manqué de loyauté à l'égard d'une personne amie.

PROPHÉTIE

l'entendre : il arrivera ce que vous avez entendu en rêve
la faire : vous ne concluez rien et vous êtes peu concret. Vous devez agir.

PROPRIÉTÉ

la recevoir : si vous n'êtes pas encore marié, vous ferez un mariage heureux. Si vous l'êtes déjà, vous aurez bientôt un enfant
l'acheter : contentez-vous de ce que vous avez et estimez-vous heureux.

PROSTITUÉE

avoir affaire avec : vous aimez une femme mais ses sentiments ne sont pas réciproques
la voir : vous fréquentez un milieu bizarre et suspect.

PROTÉGER

quelqu'un : vous essayez d'aider les autres mais personne ne l'apprécie et n'a de reconnaissance pour ce que vous faites
être protégé : quelqu'un désire votre collaboration.

PRUNES

en manger : vous recherchez les plaisirs et les biens matériels
Quelqu'un décevra votre attente
les voir sèches ou fraîches : vous ne supportez pas la solitude. Vous aimez la compagnie de gens sympathiques et sans problèmes intellectuels
Satisfaction.

PUCES

en avoir : vous aurez des ennuis

arriver à s'en débarrasser : vous surmonterez les difficultés qui vous empêchent de trouver le bonheur
les chercher : vous aurez bientôt des ennuis.

PUITS

le voir : si vous n'êtes pas encore marié : mariage heureux et enfants dans un avenir proche
rempli d'eau : chance, stabilité financière
s'il en sort de l'eau : vous aurez une petite perte d'ordre financier
le creuser : vous trouverez un emploi fatigant mais bien rémunéré
y tomber : malchance. Un danger vous guette
y puiser de l'eau : richesse, abondance
aux eaux troubles : malchance
aux eaux limpides : bonnes perspectives
le voir dans la maison : disgrâce, ennuis.

PUNAISES

les voir : vous vous disputerez avec quelqu'un
être mordu : grande abondance et richesse.

PUNIR

quelqu'un : vous rendrez inoffensif un ennemi
Chance
être puni : vous éprouvez des remords pour une action déloyale commise dans le passé.

PURGATOIRE

s'y trouver : vous aurez affaire avec la justice
Vous n'aurez pas une attitude droite et loyale.

PUS

en avoir sur soi : vous vous êtes trop fatigué ces derniers temps
Maladie
le voir : vous acquerrez de nouvelles richesses.

PUTOIS

le voir : vous êtes entouré de personnes qui veulent vous tromper et vous voler.

PYRAMIDE

la voir : une affaire se révélera impossible et vouée à l'échec
y pénétrer : vous recevrez des marques d'honneur et de gratitude.

QUEUE

voir la queue d'un cheval : gratitudes et honneurs vous seront décernés.

QUILLES

y jouer : vous vous arrêtez trop à l'apparence des choses, des personnes et de vous-même
les voir tomber : vous êtes pessimiste
les mettre debout : vous voulez tenter de nouveau une affaire qui a échoué.

R

RABOTER

quelque chose : vous avez des amis fidèles
voir quelqu'un : un de vos parents mourra.

RACINES

voir celles d'un arbre : vous n'aurez pas de chance avec votre conjoint
trébucher contre : vous êtes trop irréfléchi dans les affaires. Vous pourriez avoir de considérables pertes d'argent si vous ne changez pas de comportement
les manger : vous jouissez d'une excellente santé
les trouver en creusant : vos rentrées seront modestes.

RACONTER

quelque chose : vous êtes sociable et aimé. Les personnes qui vous entourent vous demandent souvent conseil.

RADEAU

s'y accrocher ou le voir : vous arriverez à résoudre une situation qui semblait désespérée.

RADIO

l'entendre : vous aurez bientôt des nouvelles d'une personne qui se trouve au loin
Vos affaires sont sous d'heureux auspices.

RAFRAICHIR (SE)

Vous ferez un mariage d'amour mais vous aurez peu d'argent
Il vous faudra peiner durement pour conquérir la fortune.

RAGE

en éprouver : vous êtes entouré de faux amis.

RAISIN

en manger : prospérité, richesse, santé
acerbe, le manger : querelles en famille
le voir sec : vous vous entêtez dans vos opinions et dans vos prises de position.

RAJEUNIR

se voir : naissance dans la famille
Le futur vous réserve de grandes joies.

RAMASSER

quelque chose par terre : soyez sur le qui-vive et ne laissez pas échapper une bonne occasion ; la chance ne tardera pas.

RAMER

se voir : dans votre profession, tout ira bien. Vous méritez la chance qui sera généreuse avec vous. Grâce à votre persévérance vous atteindrez le but que vous vous êtes fixé.

RAMONEUR

le voir : une chose que vous soupçonniez depuis longtemps s'éclaircira
Chance et bonheur.

RAPE

la voir : vous aurez de petits chagrins
s'en servir : vous avez des amis fidèles
se blesser en l'utilisant : une amie trahira votre confiance.

RASER

se faire raser : vous aurez une perte douloureuse
quelqu'un : vous manquez de loyauté, vous tromperez une personne de votre entourage.
(Voir aussi **Cheveux.**)

RATEAU

l'utiliser : vous désirez avoir les idées plus claires et réfléchir. Cela vous sera tout particulièrement utile dans le domaine professionnel
être menacé avec un râteau : vous serez âprement blâmé.

RATS

les voir chez soi : chance, bonheur
en voir un grand nombre : pauvreté, moments difficiles
pris dans une ratière : vous triompherez d'un ennemi
les prendre : vous arriverez à réaliser un projet
en être assailli : vous perdrez l'argent que vous aviez prêté
les tuer : vous aurez le dessus sur des ennemis sans scrupules.

RÉCHAUFFER

se réchauffer : vous espérez toujours. Vous atteindrez votre but même après bien des renoncements et des difficultés
réchauffer quelqu'un : léger malaise.

RÉCOLTE

avoir une bonne récolte : vous réaliserez ce que vous aviez imaginé. Vous réussirez dans votre travail et ni la chance ni les joies ne manqueront en famille
avoir une maigre récolte : ne soyez pas trop écervelé dans les affaires car vous pourriez perdre de l'argent.

RÉCONCILIER (SE)

avec quelqu'un : les difficultés seront bientôt aplanies. Vous résoudrez de graves problèmes affectifs.

RÉFUGIER (SE)

chercher refuge : début d'une aventure sentimentale
pour échapper à un danger ou aux intempéries : vous vaincrez un gros obstacle
trouver refuge : amour heureux.

REIN

le voir, en souffrir : maladie, chagrins.

REINE, ROI

la ou le voir : un de vos projets se réalisera. Changement de situation en mieux : avancement
parler avec elle ou avec lui : vous recevrez des marques de gratitude
l'être : dans le rêve d'un malade : mort
Dans le rêve d'une personne en bonne santé : pertes d'ordre financier, séparation des personnes que l'on aime.

RELIQUE

la voir : vous êtes malheureux et votre tristesse ne disparaîtra pas facilement.

REMBOURRER

quelque chose : vous êtes déloyal, hypocrite et paresseux.

REMÈDE

le prendre : vous aurez une dispute désagréable en famille
l'acheter : vous aurez une petite perte d'ordre financier.

RENARD

le voir : vous serez trompé par une femme
le tuer : affaires favorisées par la chance
en être mordu : pertes d'argent.

RENDEZ-VOUS

l'avoir : vous aurez de la chance en amour et une joie inattendue.

RÊNES

les tenir dans les mains : si vous ne voulez pas perdre le contrôle de la situation, vous devez être plus autoritaire et plus ferme.

RENONCER

à quelque chose : des personnes importantes vous retireront les avantages et la considération qu'elles avaient pour vous.

RÉPONDRE

à une demande : vous êtes trop précipité dans vos décisions, vous pourriez avoir de graves ennuis économiques si vous ne changez pas d'attitude.

REPRISER

quelque chose : vous êtes trop tatillon. Si vous ne changez pas votre manière de faire, une excellente occasion vous échappera à cause de détails insignifiants.

REPTILE

le voir : vous êtes entouré de personnes hypocrites qui veulent vous tromper.

RÉSINE

s'en salir : vous rencontrerez beaucoup de difficultés dans le domaine professionnel
Vos affaires deviendront plus calmes.

RESTAURANT

y aller : vous ferez un petit voyage qui vous reviendra cependant très cher.

RÉSURRECTION

voir celle d'un mort : tristesse ; de nombreux problèmes vous attendent
Dégâts matériels.

RÉVEILLER

se voir : début de nouvelles activités favorisées par la chance
voir quelqu'un : vous recevrez bientôt des nouvelles d'une personne que vous ne voyez pas depuis longtemps
réveiller quelqu'un : vous êtes très aimé.

RÉVOLTE

la voir : vous éprouverez un grand chagrin.

REVOLVER

(Voir **Pistolet.**)

RHINOCÉROS

le voir : vous aurez beaucoup de chance.

RHUME

souffrir d'un rhume : vous souffrez de troubles respiratoires
Quelqu'un vous fera de la peine.

RICHE

l'être : vous êtes ambitieux et il se peut que votre soif d'argent et de pouvoir vous rende victime de personnes sans scrupules.

RIDEAU

l'ouvrir : la période de malchance que vous avez traversée est sur le point de s'achever
le fermer : vous avez un secret que vous ne voulez pas révéler.

RIRE

entendre quelqu'un : vous aurez bientôt un chagrin. Votre tranquillité sera troublée
de quelqu'un : joie, chance, gaieté.

RIVE

d'un fleuve, s'y promener : nostalgie et tristesse. Soyez plus actif et concret, vous serez plus satisfait de vous-même
y dormir : tranquillité et joie
Vous vous contentez de petites joies : elles suffisent à votre bonheur.

RIZ

en manger : votre situation économique s'améliorera énormément
Vous êtes sujet à des indigestions. Mangez un peu moins
le cuire : vous guérirez d'une longue maladie
l'acheter : gains imprévus.

ROCHERS

les voir : votre travail est plein de difficultés et de problèmes
grimper : vous réaliserez un de vos désirs
tomber dessus : baisse de tension
Deuil possible dans votre famille
en voir de très hauts : vous visez haut mais vous ne savez pas comment faire pour obtenir ce que vous voulez. Soyez plus réaliste et concret.

ROSES

en cueillir un bouquet : plaisirs, amusements et gaieté
les sentir : vous profitez de l'instant qui se présente
les recevoir : vous vivez un amour sincère
se piquer avec : vous avez des problèmes avec la personne que vous aimez. Soyez plus conciliant sinon vous risquez de provoquer une rupture immédiate.

ROSSIGNOL

l'entendre chanter : l'harmonie règne dans votre famille
Amour partagé
le mettre en cage : grandes joies.

ROTI

en manger : soyez prudent et vous parviendrez à une situation aisée.

ROUE

la voir tourner lentement : vous gravirez quelques marches de l'échelle sociale
perdre une roue d'un véhicule : malchance et chagrins
la voir cassée : vous devez vaincre de gros obstacles dans le domaine professionnel
la voir tourner à toute vitesse : chance et richesse. Vos affaires vont pour le mieux
voir tourner celle d'un moulin : vous êtes inconstant en amour.

ROUGE

Voir le chapitre en début d'ouvrage : « ... Si vous avez rêvé en couleurs... ».

ROUGIR

Vous avez honte à cause de ce que vous avez fait.

RUBAN

long : vous aurez une longue vie
court : votre vie sera brève
le tenir dans les mains : vous avez un ami loyal
le mesurer : vous aurez des rentrées d'argent
l'entrelacer : amour sensuel
le dénouer : vous ferez un long voyage.

RUCHE

la voir : vos affaires seront favorisées par la chance et vos gains intéressants.

RUE

Elle représente la vie future.
la voir large, plate et bien pavée : joie, richesse, prospérité et

bonne marche des affaires. Vous n'aurez pas à surmonter de gros obstacles
raide (en montée) : vous atteindrez votre objectif en peinant
raide (en descente) : vous n'aurez aucune difficulté à obtenir ce que vous désirez
tortueuse : il vous faudra affronter un procès injuste
pleine de monde : querelle en famille.

RUINES

les voir, les visiter : une chance inespérée s'offrira à vous dans votre profession
Gros gains.

RUISSEAU

s'y baigner : vous jouirez bientôt d'une meilleure santé
le traverser : vous atteindrez votre but
couleur de l'eau : voir **Eau**
profondeur de l'eau : voir **Fleuve**.

S

SABLE

s'y enfoncer : gare à un danger imminent
le voir : vous recevrez une visite inattendue et agréable
y marcher avec peine : vous vivrez votre heure de gloire
l'étaler : la situation est en voie de changement. C'est de vous que dépendra la tournure que prendra votre vie future.

SABOTS

les porter : vous arriverez à vivre dans l'aisance en faisant des économies
d'un cheval : vous ferez un voyage.

SABRE

s'en servir : lorsqu'il s'agit d'arriver à vos fins, vous êtes énergique mais trop violent et dénué de scrupules
en être blessé : préoccupations et obstacles à vaincre
se servir d'un sabre cassé : malgré tous les efforts, vous n'arriverez pas à atteindre votre but.

SAC

en trouver un qui contient de l'argent : vous aurez de la chance au jeu
en voler un qui contient des bijoux : vous serez l'objet d'un scandale

en trouver un vide : le travail que vous faites est non seulement inutile mais il ne vous donne aucune satisfaction Votre paresse vous portera préjudice
en trouver un plein : abondance, richesse
en trouver un troué : vous subirez des pertes d'argent
le porter : vous ferez un travail pénible et désagréable.

SAC À DOS

le porter vide sur les épaules : votre situation financière n'est pas bonne
le porter plein : abondance et richesse.

SACREMENTS

les recevoir : richesses, honneurs et plaisirs vous sont destinés.

SACRISTIE

s'y trouver : vos affaires marchent bien : richesse, abondance.

SAFRAN

le voir : vous êtes vaniteux et hâbleur
en manger : deuil dans la famille.

SAGE-FEMME

la voir ou lui parler : vous vous marierez vite. Si vous l'êtes déjà, vous aurez un enfant.

SALADE

la manger : brève maladie
la voir : vous jouissez d'une excellente santé.

SALIR (SE)

Chance, aisance, joies familiales.

SALLE

grande et située dans une maison : aisance, bien-être

y danser : vous menez une vie gaie et agréable
salle de bal : vous avez une vie facile sans grands problèmes
salle à manger : vous serez bientôt invité à une fête.

SALUER

sa famille : chance, joie
des inconnus : vous devrez surmonter de petites difficultés
une personne ennemie : réconciliation. Début d'une agréable relation avec une personne que vous aviez mal jugée.

SANDALES

les porter : vous êtes porté au sacrifice mais de façon exhibitionniste. Soyez plus sincère avec vous-même.

SANG

en être taché : maladie. L'appréhension de la maladie engendre la plupart de vos maux. Soyez plus serein et prenez-vous un peu moins pour une victime
voir le sang couler d'une blessure : on vous a blessé dans votre orgueil et dans votre dignité
le boire : chance, prospérité et richesse
s'y baigner : grosse perte d'argent
saigner du nez : votre situation s'améliorera
voir son sang couler par terre : chance et prospérité
perdre tout son sang : vous n'êtes pas en très bonne santé. Votre tension est anormalement basse
Il se peut que vous perdiez une grosse somme d'argent. Attention !

SANGLIER

être poursuivi : ennuis, stérilité et pauvreté des récoltes
Il est déconseillé de partir en voyage.

SANGLOTER

(Voir **Pleurer**.)

SAPHIR

le porter ou le voir : quelqu'un vous offensera ou dira du mal de vous.

SAPIN

le voir : chance et succès dans les affaires
décoré : vous aurez une chance inattendue
couvert de neige : mariage heureux et tranquillité économique.

SAUCE

la voir, la manger : vous aurez une vie aisée.

SAUCISSES

en manger : vous désirez réaliser un nouveau projet. La chance vous sourira
en faire : harmonie familiale et tranquillité.

SAUCISSON

en manger : vous jouissez d'une excellente santé
le voir : soyez plus réfléchi ou vous le regretterez.

SAUGE

en manger : vous jouissez d'une excellente santé. Vous aurez une longue vie.

SAULE

le voir : vous aurez une grande déception amoureuse
Tristesse et chagrins.

SAUTER

un obstacle : vous arriverez à éviter un grave danger
dans l'eau : quelqu'un essaie de vous tromper
un fossé : vous réussirez à payer toutes vos dettes.

SAUVAGE

l'être : vous vous sentez incompris dans votre famille
Tristesse et rancœur

le voir : danger
Vous perdrez beaucoup d'argent.

SAUVER

quelqu'un d'un danger : votre aide sera payée par de l'ingratitude
être sauvé : il vous faudra engager une grosse dépense.

SAVON

l'utiliser : vous éclaircirez une situation embrouillée
en voir la mousse : une personne amie trouvera la solution d'un de vos problèmes.

SCIE

s'en servir : vous aurez beaucoup de succès dans le domaine professionnel, mais n'exagérez pas car vous pourriez être victime d'une dépression nerveuse
la voir : vous atteindrez le but que vous vous étiez fixé.

SCIURE

la manger : vous tomberez gravement malade
l'étaler : vous arriverez à résoudre une situation dangereuse et embarrassante.

SCORPIONS

être mordu : vous courez un grave danger
Peur et dégoût.

SCULPTEUR

le voir : quelqu'un vous montrera sa reconnaissance
Gardez-vous des flatteurs
l'être : vous avez des dons artistiques cachés.

SEAU

le voir plein : votre activité est très fructueuse. Richesses futures

le voir vide : votre situation financière n'est pas des meilleures
le remplir : aventure sensuelle
Votre travail ira beaucoup mieux.

SÉCHER

se sécher avec une serviette : vous changerez de travail et de domicile
sécher du linge : un de vos parents tombera malade.

SÉDUIRE

être séduit : vous ne jouissez pas d'une bonne réputation
séduire quelqu'un : vous ne perdez jamais une occasion lorsqu'elle se présente, mais votre instabilité affective vous laisse insatisfait et mécontent.

SEIN

avoir une poitrine très développée : prospérité et grossesse heureuse
Chance
avoir des seins malades ou blessés : maladie
avoir des seins qui tombent : pleurs, pauvreté, deuil familial
en avoir plus que la normale : adultère, enfants illégitimes
avoir de la poitrine (dans le rêve d'un homme) : c'est un funeste présage qui annonce un grand malheur.

SEL

le répandre : malchance. Il se peut qu'un de vos désirs ne se réalise pas
le manger : votre situation matérielle empirera
le voir : chance dans votre travail.

SELLE

la voir, s'en servir : chance dans votre travail
Vous ferez de gros bénéfices et vous aurez de grandes satisfactions

la tenir dans les mains : si vous jouez, vous aurez de la chance.

SELLE (aller à la selle)

Le sort vous réserve de la chance et du succès.

SERMON

le faire : c'est à cause de votre pédanterie que vous n'attirez pas la sympathie des gens
être sermonné : tristesse, petits problèmes.

SERPENT

le voir mort : tenez-vous sur vos gardes, on vous veut du mal
le tuer : un de vos ennemis deviendra inoffensif
le fouler aux pieds : vous êtes entouré d'ennemis
en voir sortir un d'un arbre : vous serez vexé par un étranger
en être mordu : richesse, mais gare à un danger
en avoir un qui s'enroule autour de soi : vous êtes instinctif et violent
Érotisme et sensualité effrénés.

SERRE

la voir : votre carrière sera brillante. Vous n'aurez aucune difficulté à atteindre votre but.

SERRURE

ne pas arriver à la faire fonctionner : gare aux voleurs
Gardez-vous d'un danger
l'ouvrir : vous conquerrez avec votre enthousiasme la femme que vous aimez.

SERVICE

le rendre : vous êtes moins apprécié
en bénéficier : vous aurez de la peine.

SINGE

le voir : quelqu'un veut vous porter préjudice ou vous tromper
le taquiner : vous avez causé beaucoup de peine à quelqu'un sans vous en rendre compte
le tuer : vous aurez le dessus sur un dangereux adversaire
en être mordu : dans le rêve d'une personne jeune : début d'un nouvel amour ; dans le rêve d'une personne âgée : maladie
s'il se moque de vous : des ennemis cherchent à vous nuire.

SKI

rêver de skier : c'est avec facilité que vous vaincrez tous les obstacles et que vous parviendrez à une position enviée.

SLIP

le voir : vous avez des tendances immorales
Vous avez une nature sensuelle et excessive.

SŒUR

la voir : la consolation et la compréhension vous seront données lors d'un moment difficile
l'être : vous avez beaucoup de foi.

SOIE

l'acheter : vous traversez une période de chance mais elle ne durera pas longtemps
porter un vêtement en soie : vous êtes vide et exhibitionniste, ce qui vous rend antipathique.

SOIF

se désaltérer dans une source fraîche : votre futur s'annonce prospère et heureux
ne pas arriver à se désaltérer : vous n'arriverez pas à obtenir ce que vous désirez .

SOLDATS

au repos : danger imminent
en marche : vous serez témoin d'événements importants
ivres : vous serez pris dans une rixe
blessés : vous subirez un grave préjudice.

SOLEIL

le voir se lever : chance dans les activités à peine entreprises
Vous aurez un enfant
le voir sombre, brumeux, opaque : il vous faudra surmonter des obstacles
Il est possible que vous ayez une maladie aux yeux
le voir toucher la terre : danger d'incendie
voir une éclipse de soleil : cécité
Deuil dans la famille
resplendissant, qui pénètre dans la maison : chance, joies familiales, richesses.

SORCIÈRE

la voir : hypocrisie, trahison, pièges et dangers.

SORTIR

de la maison : si personne ne vous en empêche : vous réaliserez un de vos plus chers désirs
Si vous vous heurtez à la résistance de quelqu'un : maladie grave, danger mortel.

SOUFFLER

sur le feu : vos amis seront mis au courant d'une médisance faite sur votre compte
Vous êtes trop idéaliste et la réalité vous déçoit facilement.

SOUFRE

le voir, le sentir : vous échapperez à un danger d'incendie.

SOUPE

la manger : le moment n'est pas des plus favorables mais cela s'arrangera
salée : vous aurez des peines et des ennuis.

SOURCE

la voir : vous conclurez d'excellentes affaires
Joie
en boire l'eau : guérison rapide.
(Voir aussi **Eau**.)

SOURCILS

se les brûler : vous entrerez en conflit avec votre famille
les avoir beaux et épais : santé et chance.

SOURD

l'être : vous entendrez quelque chose qui vous troublera
en voir un : vous négligez d'importants détails. Faites attention car vous pourriez gâcher la position que vous avez eu tant de mal à gagner.

SOUTERRAIN

s'y perdre : chance rapide et voyage satisfaisant du point de vue financier
marcher longtemps dans un souterrain sombre : vous parviendrez à la fortune et aux honneurs mais après des moments difficiles et seulement si vous modifiez votre caractère pessimiste toujours en proie au découragement.

SQUELETTE

le voir : dans le rêve d'un malade : aggravation de la maladie, mort ; dans le rêve d'une personne en bonne santé : maladie grave ; vous aurez beaucoup de chagrins.

STATUE

être transformé en statue de pierre : attention à un danger imminent

statue d'or : chance, richesses
On vous prédit un voyage favorisé par la chance
statue de pierre : malchance en amour. Vos sentiments ne sont pas partagés
statue cassée : quelqu'un entravera un de vos projets.

SUCRE

le voir en petits tas ou dans des tasses : quelqu'un veut vous tromper
Faux amis et flatteurs
le manger : plaisir, joie
le recevoir en cadeau : quelqu'un vous aime secrètement.

SUICIDER (SE)

se voir soi-même : naissance imminente dans la famille
voir quelqu'un : votre comportement incorrect vous causera de graves préjudices.

SUREAU

manger des baies de sureau : votre santé s'améliorera considérablement
le voir : nouvel amour
Satisfaction et joie.

SURPRISE

l'avoir : une chose que vous gardiez jalousement cachée sera bientôt connue de tous.

T

TABAC

le fumer : vous éprouverez du plaisir, mais cela ne durera pas
l'aspirer par le nez : vieillesse précoce, bonnes affaires
le répandre par terre : brève séparation d'amis très chers
l'acheter : vous devrez engager une multitude de petites dépenses.

TABLE

s'asseoir à une table où le couvert est mis : quelqu'un médit sur votre compte.

TABLEAU

représentant un portrait : vous aurez une joie qui durera
représentant un paysage : vous parviendrez à la richesse et aux honneurs sans trop de peines
l'accrocher au mur : vous recevrez des marques de gratitude et d'honneur
l'enlever : ingratitude
le peindre : vous nouerez une nouvelle amitié
l'acheter : vous vous marierez et vous aurez des enfants.

TABLIER

le voir : n'écoutez pas des bavardages qui sont faux

le laver : vous êtes trop faible et vous vous laissez dominer par les autres
le perdre : quelqu'un vous possédera
tablier à bavette : nouvel amour.

TACHE

l'assigner à quelqu'un : quelqu'un vous hait et vous ne faites aucun effort pour être aimé
en être chargé : vous aurez bientôt des nouvelles d'une personne qui se trouve au loin.

TACHES

sur ses vêtements : vous aurez des discussions en famille
sur la figure : vous tomberez malade
taches de sang sur un mur : vous recevrez de mauvaises nouvelles de personnes qui vous sont proches
taches d'huile par terre : vous êtes l'objet de médisances.

TAIE (d'oreiller)

la voir : si vous n'êtes pas encore marié, vos noces sont proches.

TAILLEUR

l'être : si ce n'est pas votre profession dans la vie réelle, votre conjoint se montrera déloyal envers vous
Dans le rêve d'une femme : votre besoin d'affection sera bientôt satisfait
le voir : accroissement de votre patrimoine
se faire prendre ses mesures : vous désirez plaire aux gens.

TALISMAN

le posséder : vous devrez traverser des moments difficiles mais vous réussirez toujours à vaincre l'adversaire.

TALON

se blesser au talon et avoir mal : on vous nuira.

TAMBOUR

entendre le bruit du tambour : danger imminent
jouer du tambour : risque d'une catastrophe naturelle
Vous bavardez trop et vous risquez de vous nuire.

TAMISER

quelque chose : vous gaspillez en vain votre argent. Bientôt vous serez en difficulté et personne ne vous aidera.

TAMPON (cachet)

le voir : vous recevrez de bonnes nouvelles
Chance.

TAONS

en être piqué : des personnes importantes vous menaceront
Infidélité et disputes familiales.

TAPIS

le faire : agréables réunions mondaines
le posséder : vous jouirez d'une très bonne position.

TARDER

être en retard pour prendre un moyen de transport : joie éphémère
Il se peut que vous gagniez à la loterie.

TARENTULE

la voir : vous partirez en voyage pour un an au moins
en être mordu : dangers et chagrins.

TAROTS

se les faire tirer : vous êtes soucieux et vous ne savez pas quelle décision prendre. Pensez-y longuement et soyez prudent

les tirer : ce n'est pas le bon moment pour jouer à la loterie.

TASSE

la casser : peines et désaccord en famille
la voir : vous recevrez bientôt un cadeau que vous apprécierez.

TAUPE

la voir : quelqu'un complote pour vous nuire
Comportez-vous avec loyauté.

TAUREAU

menaçant : malheur, graves dangers
doux : chance, amour sensuel, joie
l'acheter : querelle familiale
en tuer un qui vous menace : vous échapperez à un danger.

TÉLÉGRAMME

l'envoyer : vous recevrez bientôt de bonnes nouvelles
le recevoir : vous serez mis devant une alternative.

TÉLÉPHONER

à quelqu'un : une de vos curiosités sera satisfaite
Vous désirez faire savoir quelque chose à la personne que vous aimez. Soyez moins timide et embarrassé car vous n'avez rien à craindre.

TÉLESCOPE

s'en servir : vous êtes trop pédant et tatillon. Vous êtes occupé par des vétilles et vous négligez un grave problème qui devient dangereux
y voir quelque chose : vous arriverez à une bonne position
Voyage.

TÉLÉVISION

la regarder : vous recevrez une nouvelle inattendue qui vous fera plaisir.

TEMPÊTE

s'y trouver, la voir : vous avez un accident, néanmoins il n'y a pas de blessé
Obstacles, dangers, dégâts matériels
Une querelle familiale est possible.

TEMPLE

y entrer : changement en vue. Vous ferez une analyse intérieure et heureusement vous arriverez à vous comprendre
Joie.

TEMPS

beau temps : chance
Vous recevrez une bonne nouvelle
mauvais temps : disputes dans la famille, chagrins.

TENTE

y habiter : vous ferez un voyage fatigant
la voir : aventures inattendues, instabilité émotive et affective.

TERRASSE

la voir : vous savez bien des choses qui sont cachées à la plupart des gens
s'y trouver : vous êtes sociable et vous avez de nombreux amis.

TERRE

en être recouvert et risquer de suffoquer : la situation est difficile mais si vous restez inébranlable et ne vous laissez pas écraser, vous serez honoré et très riche.

TESTAMENT

le faire : votre vieillesse sera longue et sereine
le voir : héritage inattendu.

TÊTE

être sans tête : vous serez offensé dans votre dignité et dans votre orgueil, mais votre attitude passive et votre manque de confiance ne vous font certes pas une bonne réputation. Soyez un peu plus volontaire et décidé, cela améliorera la situation
la couper à quelqu'un : vous paierez des dettes lourdes et préoccupantes
tête rasée : vous serez vaincu
tête chauve : vous serez aimé.

TÊTE DE LIT

voir celle de son lit : vous entendrez des propos médisants sur votre compte.

TÊTE DE MORT

la voir : quelqu'un vous hait et pourrait vous nuire énormément.

THÉ

le boire : maladie bénigne.

THÉÂTRE

y réciter : vous vivrez une aventure imprévue
le voir : vous êtes ambitieux mais vous aspirez à une position supérieure à vos possibilités. Soyez plus modeste dans vos aspirations.

THERMOMÈTRE

le voir : la situation est sur le point de changer. Votre vie future prendra la direction que vous lui donnerez
thermomètre médical : malaise physique
Quelqu'un de votre famille tombera malade.

THORAX

sain et large : chance, joie
poilu : dans le rêve d'un homme : richesse et gains inespérés ; dans le rêve d'une femme : mort du conjoint.

THYM

en sentir l'odeur, le cueillir : chagrins, grande douleur et larmes.

TIGRE

en être assailli : funeste présage. Votre équilibre mental est menacé, prenez les mesures qui s'imposent
le voir : vous avez un adversaire dangereux et sans scrupules.

TILLEUL

en voir un : votre vie sera sereine et sûre
y grimper : vous parviendrez à une position enviable
le couper : chagrins et querelles en famille.

TIMBRES

les voir ou les coller : vous recevrez bientôt des nouvelles d'un parent qui se trouve au loin
les collectionner : vous faites un effort totalement inutile.

TIRELIRE

la voir, la remplir : petits gains mais réguliers. Tranquillité économique
la casser : vous devrez faire une grosse dépense.

TIRER

entendre : maladie proche
avec une arme à feu : vous êtes de nature violente et sensuelle. Vous êtes souvent attiré par des personnes fascinantes
Infidélité.

TOILE

(Voir **Étoffe.**).

TOIT

le voir : vous êtes à l'abri des dangers
tomber du toit : vous recevrez une nouvelle désagréable. Disgrâce
l'arracher : noces imminentes ; enfants
le voir brûler : vous deviendrez riche et célèbre grâce à des activités favorisées par la chance.

TOMATE

la manger : vous toucherez de l'argent que vous pensiez perdu depuis longtemps
la voir : vous êtes très traditionnaliste. Vous aspirez à une union sentimentale sincère et durable.

TOMBEAU

voir enterrer quelqu'un : mariage imminent
Acquisition de biens, prospérité
Présage de bon augure
endommagé ou en ruine : malchance ou tristesse
y être introduit vivant : malchance, tristesse
Il se peut que vous soyez suspecté et emprisonné.

TOMBER

dans un précipice : mauvaise santé (troubles de la tension artérielle)
Malchance dans les affaires
parce qu'on vous a poussé : désastre financier, vous perdrez vos biens
cheveux qui tombent : un de vos amis chers mourra
d'un pont : vous êtes nerveux et au bord de la dépression. Relaxez-vous, tout peut se résoudre si vous restez calme.

TOMBER A VERSE

entendre le bruit de l'eau : il vaut mieux que vous renonciez à un voyage, il serait voué à la malchance.

TONNEAU

en avoir un rempli de vin : abondance, richesse
vide : pauvreté, jours maigres
Manque d'affection
qui fuit : vous subirez une perte financière
le rouler : vos affaires seront bonnes.

TONNERRE

sans éclair : problèmes
Gardez-vous des personnes déloyales
avec des éclairs : pour l'instant vous n'arriverez pas à obtenir ce que vous voulez, mais ne désespérez pas.

TORCHE

éclairer son chemin avec une torche : chance ; début d'une longue et heureuse relation amoureuse désirée depuis longtemps.

TORRENT

impétueux qui entraîne tout sur son passage : vous pourriez être victime d'une passion dangereuse
Mauvaises affaires
grand et large : vous parviendrez au sommet de la fortune.

TORTUE

la voir dans la rue : une affaire qui vous tient très au cœur sera retardée. Ayez un peu plus de courage et de volonté, en outre ne vous laissez pas submerger par les événements
la manger : après bien des déboires vous obtiendrez ce que vous désirez.

TORTURER

être torturé : vous serez injustement pris à partie. Mais cessez de vous lamenter, vous avez la manie de la persécution

torturer quelqu'un : vous éprouvez des remords pour une action déloyale commise dans le passé.

TOUR

y être enfermé : la trahison d'une personne que vous considériez comme une amie vous mettra sérieusement en danger
y monter : chance, avantages
la voir s'écrouler : vous perdrez votre liberté d'action.

TOURBILLON

être pris dans un tourbillon : vous vivrez des journées tumultueuses qui secoueront votre apathie.

TOURTERELLE

la voir : vous êtes sociable et cordial. Vous avez beaucoup d'amis
la mettre en cage : tristesse, querelle
la tenir chez soi : harmonie familiale.

TOUX

l'avoir : léger malaise
voir quelqu'un qui en souffre : gardez-vous des flatteurs.

TRAHIR

être trahi : vous aurez affaire avec la justice
être trompé par la personne aimée : votre jalousie ruinera une relation heureuse
trahir quelqu'un : vous aurez de nombreux obstacles à vaincre
Changement de travail.

TRAIN

voyager en train : vous aurez un procès mais vous le gagnerez
le voir dérailler : danger de mort

le manquer : la concurrence n'atteindra pas des résultats aussi brillants que les vôtres, toutefois ne vous laissez pas aller à votre nature conciliante.

TRAINEAU

partir en traîneau : vous arriverez à obtenir une chose que vous désiriez depuis longtemps, mais vous serez déçu
le voir : joies et amusements simples.

TRAITES

les émettre : vous avez des difficultés dans vos affaires
Vous êtes trop irréfléchi, administrez vos biens avec plus de prudence
les payer : malgré de gros problèmes (que vous résoudrez) vos affaires marcheront bien.

TRANSPIRER

être couvert de sueur : il vous faudra affronter des créanciers sans pitié et sans scrupules
Surveillez votre santé, une dépression nerveuse est à craindre avec les soucis que vous avez eus ces derniers temps.

TRAPPE

être pris dedans : de faux amis vous tromperont
la voir : vous subirez un important dommage matériel.

TRAVAILLER

faire un travail : l'harmonie dans votre famille, la prospérité dans vos affaires et l'avancement dans votre carrière vous sont annoncés
faire un travail qu'on ne connaît pas pour le compte de quelqu'un d'autre : présage de grande prospérité pour le futur
avec entrain mais ne pas finir son ouvrage : vous polémiquez trop souvent en vain.

TRÉBUCHER

Faites attention, autrement vous commettrez une grave erreur. Considérez plus à fond la situation.

TREMBLEMENT DE TERRE

le voir : il y aura des changements radicaux dans votre vie
Soyez décidé et essayez de voir clair en vous
s'il cause des dégâts : ruine, pertes d'ordre financier.

TRÉSOR

en trouver un très précieux : un de vos espoirs sera déçu, mais ne vous abandonnez pas au pessismisme, vous devez seulement vous créer des objectifs plus réalisables et rationnels.

TRESSE

la faire : vous vivez un amour passionné
la porter : quelqu'un veut vous tromper
la couper : vous modifierez votre esprit rétrograde et bigot et vous vous sentirez plus serein.

TRIBUNAL

le voir : problèmes, angoisses, querelles et dépenses importunes
Dans le rêve d'un malade : aggravation de la maladie.

TROMPER (SE)

dans un calcul : un de vos projets ne pourra se réaliser
dans une évaluation : vous êtes trop impulsif et cela pourrait vous nuire.

TRONC

d'arbre : vous aurez des bénéfices très intéressants
s'y asseoir : votre activité est solide et sûre.

TROU

en avoir un dans ses habits : vous perdrez de l'argent
y tomber : vous tomberez dans un piège ; vous avez de mauvaises fréquentations.

TROUPEAU

de chevaux : votre carrière sera rapide
de bœufs : chance et richesse
le regarder : vous êtes avare
y être au milieu : vous êtes irréfléchi et impulsif, faites preuve d'un peu plus de pondération en agissant.

TRUITE

la manger : vous recevrez une mauvaise nouvelle
la pêcher : chance au jeu
la voir dans un torrent ou dans un fleuve : vous aurez des moments très heureux.

TUBE

le voir : vous n'avez pas l'esprit d'organisation et cela vous causera des pertes d'ordre financier
Colère
cassé : quelques problèmes dans le domaine professionnel.

TUBERCULOSE

l'avoir : vous jouissez d'une excellente santé. Si vous êtes malade, vous guérirez vite. Si vous voulez éviter une rechute, essayez de mettre un frein à vos passions irrésistibles. Cela finira par vous épuiser.

TUER

une femme : vous avez des problèmes d'argent, vous vous sentez faible et vous avez peur
par jalousie : vous êtes aimé et probablement vous vous marierez
par légitime défense : tenez-vous en garde contre de faux amis
un animal : vous êtes en danger
des animaux : mauvais présage ; cela n'annonce rien de bon
être tué : chance, vous êtes sous d'heureux auspices.
(Voir aussi **Mort**.)

TUILES

les voir : chance, protection, sécurité
les voir cassées : chagrin, danger
les voir tomber : querelle familiale, ennuis
les voir tomber du toit de sa maison : deuil dans la famille.

TULIPES

les cueillir : changement en vue
les soigner : la personne dont vous êtes amoureux est sans grand intérêt, présomptueuse et souffre de dépression
les voir : vous êtes gai et insouciant.

TURQUOISES

les recevoir en cadeau, les porter : chance. Vous arriverez à réaliser un de vos projets.

TYPHON

l'affronter : vous avez une mauvaise réputation
le voir : la situation est chaotique et épineuse mais elle s'améliorera rapidement.

TYRAN

l'être : vous êtes faible et vous manquez d'autorité. Faites-vous valoir un peu plus si vous voulez être respecté
le voir : vous vous élèverez dans la voie hiérarchique.

ULCÈRE

aux membres inférieurs : ralentissement dans votre travail
dans le dos : vieillesse triste
aux membres supérieurs : deuil dans la famille.

UNIFORME

le porter : ce songe prédit de nouvelles aventures. Réfléchissez un peu plus avant d'agir car vous pourriez courir un grave danger.

UNIVERSITÉ

la voir : vous n'êtes pas encore mûr. Il y a de grosses lacunes dans votre formation professionnelle et cela entrave et ralentit votre travail.

URINE

la voir : vous subirez une perte
trouble : surveillez votre santé
la boire : vous guérirez rapidement.

USINE

la voir : réussite éclatante dans votre travail
la posséder : votre carrière sera brillante mais seulement après que vous aurez parcouru un long chemin jonché d'obstacles.

UTÉRUS

maternel : il y aura bientôt une naissance dans la famille.

VACANCES

être en vacances : finalement vous aurez un peu de repos et des distractions, vous l'avez bien mérité
les désirer : n'exagérez pas trop car vous pourriez être victime d'une dépression nerveuse.

VACCINATION

la faire : vous êtes triste et découragé. Un voyage favorisé par la chance vous distraira et vous fera renaître
voir quelqu'un se faire vacciner : quelqu'un a besoin que vous l'aidiez moralement.

VACHE

la voir grasse : abondance et richesse
Grâce à votre facilité d'adaptation vous supporterez très bien le changement de vie qui se prépare pour vous
la voir maigre : vous êtes aboulique et résigné, ce n'est pas comme cela que vous arriverez à ce que vous voulez
la voir traire : chance.

VAGABOND

l'être : vous devrez affronter un long voyage aventureux
le voir : petit chagrin.

VALISE

la voir : vous ferez très prochainement un voyage agréable.

VALLÉE

la voir : peur, problèmes, mélancolie
la traverser : vous réussirez à réaliser ce que vous désirez.

VALSE

(Voir **Danser**.)

VAMPIRE

en être mordu : des flatteurs déloyaux cherchent à vous exploiter.

VAPEUR

la voir : vous êtes très ambitieux, mais vous avez une nature lente et paresseuse, c'est ce qui ralentira votre ascension.

VARIOLE

en être atteint : vous avez honte de vous
Richesses et bien-être ont été conquis d'une façon peu honnête
voir quelqu'un qui en est frappé : vous recevrez une somme d'argent inattendue.

VASE

le casser : chagrins et ennuis familiaux
en voir un plein de fleurs : vous recevrez bientôt une nouvelle qui vous fera très plaisir
Vous êtes aimé.

VAUTOUR

le voir : c'est un présage de chance dans le domaine financier mais méfiez-vous d'un banquier sans scrupules

si c'est un médecin qui le voit : mort d'un de ses patients.

VEAU

gras : des années d'abondance vous sont annoncées
maigre : pauvreté, vous aurez des problèmes financiers
d'or : vous acquerrez de grandes richesses
Vous avez tendance à être avare et cela vous empêche d'apprécier l'aisance dans laquelle vous vivez.

VEILLER

pour aller à une fête : le mariage et la vie de société sont sous de favorables auspices
Vous bannirez la tristesse et la mélancolie
Adultère probable
un malade : vous avez quelques chagrins
Vous jouissez d'une excellente santé.

VELOURS

le tenir dans les mains : nature sensuelle
porter un vêtement en velours : richesses et bonne position sociale
l'acheter : vous vivez dans l'aisance et sans problèmes.

VENDANGE

la faire : une période de grandes joies, de bonne santé et de plaisirs physiques vous attend
Séduction.

VENDRE

quelque chose : vous vous trouvez momentanément dans l'embarras du point de vue pécunier.

VENT

froid et violent : des ennemis déloyaux et sans scrupules vous nuiront
Ne vous laissez pas avoir

agréable et chaud : les promesses qu'on vous fera ne seront pas tenues
Bonne nouvelle
porteur de nuages : malchance, obstacles à vaincre
qui éclaircit et rend l'air limpide : la situation s'améliorera considérablement.

VENTRE

voir le sien : vous vous marierez et vous aurez beaucoup d'enfants
le voir gras : votre situation économique sera excellente
le voir maigre : problèmes, querelles, pauvreté.

VER À SOIE

le voir : vous commencerez à travailler. Vous gagnerez beaucoup d'argent.

VERGER

s'y promener : votre vie sera prospère et les bonnes occasions ne manqueront pas.

VERNIS

le voir : vous êtes superficiel et bien souvent vous ne voyez pas la vraie nature des choses.

VERRE

le voir : vous devez boire moins d'alcool
y boire du vin : des jours heureux s'annoncent
le casser : un de vos ennemis mourra
Disgrâce
l'offrir : mort d'un ami
le recevoir : vous mettrez au monde un enfant ; si vous êtes célibataire vous vous marierez
fêlé : vous serez trompé
vide : vous aurez une grosse déception.

VERRUES

les avoir : richesse, gros bénéfices

les voir : des personnes déloyales essaient de trahir votre confiance.

VERS

avoir le ver solitaire : vous serez offensé par un membre de votre famille
Problèmes et ennuis
s'en débarrasser : vous vous libérerez d'une personne hypocrite
les voir : vous êtes trop précipité et vous arriverez à vous nuire
les tuer : vous sortirez d'une situation désagréable
les éliminer : vous guérirez d'une maladie
Vous l'emporterez sur une personne adverse.

VÊTEMENT

en porter un vieux : vous atteindrez une situation de prestige
le voir : maladie possible
le mettre dans une armoire : renoncez à un projet qui vous semble impossible
de deuil : vous aurez une grande joie
Si vous n'êtes pas encore marié, une union est proche.

VEUF

l'être : changement de situation. Le futur vous réserve de grandes joies
l'épouser : vous recueillerez bientôt un héritage inespéré.

VIANDE

la manger : bonheur, prospérité
de mouton et de bœuf : vous aurez des problèmes familiaux
de porc : richesse et abondance
la manger crue : maladie
Vous n'aurez pas de chance
se manger l'un l'autre : chance

manger sa propre chair : dans le rêve d'une personne qui dispose de petits moyens : richesse
Dans le rêve d'une femme : prostitution
Dans le rêve d'une personne aisée et riche : ruine
si elle sent mauvais : on vous demandera en mariage mais vous refuserez.

VIEUX

le voir entrer dans la maison : harmonie familiale, bonheur et bien-être
le voir : vous vivrez vieux
le devenir : votre vieillesse sera sereine.

VIGNE

la voir : si vous ne divulguez pas un de vos désirs secrets, vous arriverez à le réaliser.

VILLAGE

le voir : présage de mauvais augure
y habiter : vous mènerez une vie simple mais sans souci
le voir incendié : richesse, accroissement des biens.

VILLE

se promener dans une ville inconnue : vous aurez un gros obstacle à vaincre
Tristesse
Il est possible que vous fassiez un voyage
grande : vous ferez de nouvelles expériences
petite : soyez plus ouvert aux idées nouvelles, vous êtes trop conformiste.

VIN

le renverser : vous perdrez une excellente occasion
Léger malaise
le boire : vous goûterez les petites joies de la vie
Vous résoudrez bientôt vos problèmes.

VINAIGRE

le boire : vous vous disputerez en famille à cause d'un malentendu
le préparer : vous avez l'intention de commettre une mauvaise action.

VIOLETTES

les voir dans un pré : vous réussirez dans votre travail. Vous ferez de très bonnes affaires.

VIOLON

en jouer : une personne amie vous apportera du réconfort dans un moment de forte dépression
le voir : votre amour n'est pas réciproque.

VIPÈRE

en être mordu : vous serez trompé par une personne envieuse
la voir : gardez-vous des flatteurs, ils ne cherchent qu'à vous tromper
la tuer : vous aurez le dessus sur un ennemi dangereux.

VISAGE

gai : chance dans tous les domaines
gonflé : un de vos enfants tombera malade
ridé : désaccord familial
à la peau lisse et au teint coloré : bonne santé, joie.

VISIONS

de personnes mortes : croyez ce qu'elles vous diront dans le rêve
Chance, protection.

VISITE

la recevoir : vous recevrez bientôt de bonnes nouvelles d'une personne qui se trouve au loin
Réconciliation à la suite d'une violente dispute.

VITRE

la couper : vous vous marierez dans l'année
la casser : malchance, tristesse
opaque : quelqu'un parle mal de vous
transparente : vous avez des amis loyaux
voir à travers celle d'une fenêtre : vous résoudrez avantageusement une affaire.

VOILE

en porter un noir sur la tête : vous aurez un deuil dans la famille
en porter un blanc : vous avez la foi et une vocation religieuse cachée
Pureté d'esprit.

VOILIER

le voir : voyage favorisé par la chance
voyage en voilier : votre travail est irrégulier et instable.

VOL

le commettre : vous êtes en danger. Vous serez trompé et vous n'aurez pas de succès
le découvrir : vous récupérerez des biens perdus.

VOLCAN

le voir éteint : vous aurez une aventure dangereuse
Vous êtes souvent victime de passions violentes
le voir en éruption : une passion irrésistible changera le cours de votre vie.

VOLER (des objets)

voler quelqu'un : vous aurez une aventure suspecte
être volé : vous perdrez un ami cher
voler quelque chose : d'autant plus élevée est la valeur de la marchandise volée, d'autant plus grave est le danger que vous courez
voler des objets sacrés : dans le rêve d'un prêtre : chance

Dans le rêve d'une autre personne : dangers, malheurs, tristesse.

VOLER

se voir voler : changement heureux
Dans le rêve d'un malade : mort
avec des ailes : avancement dans votre profession, vous parviendrez au bien-être et à la richesse
sans ailes : danger, peur, malchance
au-dessus de croisements et de tournants dangereux : querelles de famille
Gros chagrin
agilement et puis se poser à terre : votre rapidité d'esprit vous permettra de conclure des affaires avantageuses
Habileté
le vouloir et ne pas réussir : malchance et malheur
Dans le rêve d'un malade : son état empirera.

VOLEUR

être volé : vous perdrez un ami
le voir : aventure sensuelle
l'arrêter : vous êtes mécontent et malheureux.

VOLIÈRE

la voir, la posséder : vous aurez une famille nombreuse.

VOMIR

du sang : votre situation économique changera radicalement
des aliments : malheur, important dommage économique
ses viscères : mort d'un de ses enfants
Ruine
Dans le rêve d'un malade : mort.

VOYAGE

le faire : changement de vie
le faire en compagnie : on médit de vous.

VOYAGER

voyager en train : vous aurez affaire avec la justice. Vous gagnerez un procès
voyager en auto : bonheur et désirs satisfaits
Aventure amoureuse
voyager en avion : des désirs seront satisfaits.

VOYANTE

s'y rendre : il arrivera ce que la voyante vous prédit dans le rêve
Vous êtes accablé de problèmes et d'espoirs déçus
l'être : vous acquerrez une vaste expérience et des richesses.

WAGON

de chemin de fer : vous courez un risque considérable.

YEUX

ne pas arriver à les ouvrir : amour passionnel
les avoir malades : vous ferez de mauvaises affaires
les perdre : malheur
Mort d'un de vos enfants ou d'un membre intime de votre famille
beaux et en bonne santé : grand bonheur, amour sincère
larmoyants : malchance
mal aux yeux : malaise, maladie bénigne.

ZÈBRE

le voir : il vous faudra faire face à d'énormes difficultés mais vous arriverez à les vaincre.

Table

Songes prémonitoires

G

H

I

J

L

M

N

O

P

Composition réalisée par C.M.L., Montrouge

IMPRIMÉ EN FRANCE PAR BRODARD ET TAUPIN
58, rue Jean Bleuzen - Vanves -Usine de La Flèche.
LIBRAIRIE GÉNÉRALE FRANÇAISE - 14, rue de l'Ancienne-Comédie -Paris.
ISBN : 2 - 253 - 03462 - 2

30/7880/5